MINECRAFT™: MANUAL DE REDSTONE
Título original: *Minecraft™: Redstone Handbook*
Ilustrações: Ryan Marsh
Design: Joe Bolder e Andrea Philpots
Agradecimento especial a Sherin Kwan, Alex Wiltshire e Milo Bengtsson.
©2022, Farshore, uma chancela de Harper Collins, Londres.
Todos os direitos reservados.

© desta edição:
2024, Penguin Random House Grupo Editorial, Unipessoal, Lda.

Booksmile é uma chancela de Penguin Random House Grupo Editorial
Rua Alexandre Herculano, 50, 3.º, 1250-011 Lisboa, Portugal
correio@penguinrandomhouse.com
penguinlivros.pt

Tradução: Nuno Santos
Paginação: Aresta Criativa – Artes Gráficas

1.ª edição: março de 2024
Depósito legal: 522602/23
ISBN: 978-989-787-488-8

Impressão e acabamento: UE

# MINECRAFT

## MANUAL DE REDSTONE

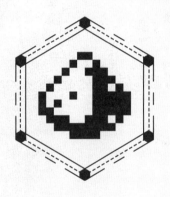

livros que saltam à vista

MOJANG
STUDIOS

# ÍNDICE

# DAMOS-TE AS BOAS-VINDAS AO MANUAL DE REDSTONE DO MINECRAFT!

Há sempre algo para descobrir no mundo do Minecraft. Até mesmo os guerreiros mais corajosos que já derrotaram o dragão de Ender, os pilotos de élitro mais intrépidos ou os escultores de megacidades podem nunca ter descoberto as maravilhas da redstone.

Se aprenderes a usar a redstone, vais poder construir mecanismos úteis que automatizam o cultivo, armadilhas para pregares partidas aos teus amigos e até mesmo computadores funcionais dentro do próprio jogo!

A redstone tem um grande potencial e pode ser tão poderosa quanto a tua imaginação, mas as suas várias portas de lógica e comparadores podem ser intimidantes para os mais novatos. Por isso, fizeste bem em abrir este manual, que vai ensinar-te tudo o que precisas de saber para começares uma carreira como engenheiro ou engenheira de redstone!

O manual está dividido em três secções. A primeira vai apresentar-te todos os blocos que funcionam com redstone e o que eles fazem. Na segunda parte, vais aprender como criar as estruturas essenciais de redstone que podem ser encontradas em vários mecanismos, desde circuitos de relógio até escadarias. E na última parte, vais colocar todos os teus conhecimentos à prova e construir aparelhos divertidos que deixarão os teus amigos impressionados.

## ESTÁ NA HORA DA ENGENHARIA!

# INTRODUÇÃO À REDSTONE

Queres ser um engenheiro ou engenheira de redstone?
Bem, vamos começar pelo princípio: vais precisar de ficar
a conhecer todas as ferramentas que terás ao teu dispor.
Nesta secção, vamos apresentar-te muitos dos blocos de
redstone que criarão sinais de redstone, manipulá-los e
usar sinais para criar vários resultados úteis.

# O QUE É A REDSTONE?

## ONDE POSSO OBTÊ-LA?

Podes encontrar redstone em forma de minério entre os níveis -63 a 15 como minério normal de redstone ou a variante de minério de redstone profundo se escavares fundo o suficiente, mas ele é mais comum nos últimos 30 níveis. Precisas de uma picareta de ferro, no mínimo, para extrair o minério, que largará até cinco pedaços de pó de redstone quando for destruído.

## O QUE PODES FAZER COM O PÓ?

Tudo! Se colocares o pó no topo de um bloco, ele surgirá como uma mancha negra. Mas se colocares uma fonte de energia, como uma tocha de redstone, junto a ele, o pó ficará bem mais brilhante, emitindo partículas e transportando um sinal.

Mas é claro que há mais. Se colocares pó de redstone em blocos adjacentes, ele vai juntar-se e reconfigurar-se para transportar o sinal em até quatro direções. Eis algumas das configurações que podes fazer.

A melhor forma de olhar para a redstone é como um condutor primário para circuitos. Na sua forma mais pura, o pó de redstone pode ser usado para criar vários componentes ou para transmitir um sinal entre eles. Se quiseres automatizar uma ação no Minecraft, a redstone é essencial.

## O QUE POSSO FAZER COM UM SINAL DE REDSTONE?

Um pedaço de pó de redstone ativo transmitirá um sinal para a maior parte dos blocos adjacentes, incluindo blocos normais e também aqueles que têm uma funcionalidade de redstone (ver páginas 10-13). Se um sinal for transmitido para um bloco com uma funcionalidade, o bloco efetuará essa tarefa enquanto o sinal estiver presente.

## ENTÃO, É UMA FONTE DE ENERGIA INFINITA?

Nem por isso. Pode durar para sempre, mas a sua potência depende da fonte de energia e da sua distância, algo que abordaremos mais à frente. A tocha de redstone providencia a potência máxima de 15 a qualquer pó de redstone adjacente, mas esse número diminui em 1 valor por cada bloco que atravessa. Por isso, uma tocha de redstone só é capaz de alimentar pó de redstone ao longo de 15 blocos de distância.

## HÁ ALGO MAIS QUE POSSA FAZER?

Não achas que isto é suficiente?! Está bem, o pó de redstone também pode ser usado em receitas para criar componentes de redstone como repetidores, comparadores e observadores, fontes de energia como blocos de redstone e sensores de luz do dia, entre outros itens inteligentes como relógios e bússolas. Ah! E também pode ser usado para aumentar a duração do efeito das poções!

# PRINCIPAIS BLOCOS DE REDSTONE

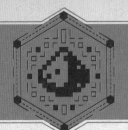

### BLOCO DE REDSTONE

Uma das fontes de energia de redstone mais fáceis de criar é o bloco de redstone, que pode ser criado com 9 pedaços de pó de redstone. Este bloco produz um sinal de redstone constante para qualquer espaço adjacente e não pode ser desligado.

### TOCHA DE REDSTONE

A tocha de redstone, feita ao juntar um pau a pó de redstone, é uma fonte de energia útil que pode ser colocada no chão e nas paredes. Desligar-se-á se receber um sinal de redstone de outro local.

### ALAVANCA

As alavancas são úteis para quando quiseres ativar ou desativar um sinal de redstone. Podes alternar facilmente entre ambas as posições, e em posição ativa providencia um sinal de redstone máximo para o bloco ao qual está ligado.

### BOTÃO

Pressiona um botão para criar um sinal de redstone temporário que se desativará automaticamente após alguns segundos. Apenas pode ser ativado por jogadores ou projéteis, por isso o seu melhor uso é como uma fonte de energia inicial.

### PLACAS DE PRESSÃO

Existem quatro variedades de placas de pressão e cada uma delas tem requisitos ligeiramente diferentes para a ativação. As quatro variantes produzirão um sinal constante para blocos adjacentes enquanto esses requisitos forem cumpridos.

Agora que já sabes o que é a redstone, está na hora de olhar rapidamente para os principais blocos que vais usar nos circuitos de redstone, quer seja para providenciar energia, manipular o sinal ou produzir um resultado. Enche o teu inventário com estes blocos antes de continuares a ler!

## ALVO

O bloco de alvo produz um sinal de redstone por tempo limitado sempre que é atingido com um projétil. Quanto mais perto do centro o atingires, mais forte será o sinal de redstone. Aponta ao meio para potência máxima!

## GANCHOS PARA FIO DE ARMADILHA

Coloca um fio entre dois ganchos e terás uma fonte de energia que pode ser ativada simplesmente ao caminhar por ela. O fio é muito difícil de ver, por isso é muitas vezes usado para criar armadilhas.

## BAÚ ARMADILHADO

O baú armadilhado é quase idêntico ao baú normal e só pode ser reconhecido através do ténue brilho vermelho que rodeia a tranca. Uma vez aberto, produzirá um sinal de redstone para os blocos adjacentes até ser fechado novamente.

## SENSOR DE LUZ DO DIA

Este sensor é alimentado pela luz natural e produz um sinal com uma potência que depende da altura do dia e do tempo. Também pode ser invertido de forma a ser ativado apenas pela ausência do sol.

## REPETIDOR DE REDSTONE

O repetidor amplifica um sinal de redstone para a sua potência máxima de 15, permitindo assim que um sinal viaje mais longe em relação à sua fonte de energia. Também controla a circulação dos sinais porque só permite que um sinal viaje pela frente.

## COMPARADOR DE REDSTONE

O comparador pode medir a potência de até três sinais ou subtraí-los uns dos outros. Também pode ser usado para determinar a capacidade restante dos blocos de armazenamento e até quantas fatias ainda restam num bolo.

## PISTÃO

Com a capacidade para empurrar vários blocos, o pistão é usado muitas vezes em circuitos de redstone para criar mecanismos em movimento. Uma vez ativado por um sinal de redstone, ele alonga a cabeça em direção ao bloco à sua frente.

## PISTÃO ADESIVO

Para além de empurrar, o pistão adesivo também pode puxar alguns blocos. Existem algumas exceções porque certos blocos podem quebrar-se ou são inamovíveis, como a obsidiana, mas o pistão adesivo dá outra dimensão aos circuitos.

## DISTRIBUIDOR

Podes armazenar itens num distribuidor e emitir-lhe um sinal de redstone para fazer com que ele ejete os seus conteúdos. Isto pode ser usado para disparar uma flecha ou lançar uma poção explosiva, por exemplo.

## LARGADOR

Tal como o distribuidor, o largador, ou «dropper», é um bloco de armazenamento que ejeta os itens quando recebe um sinal, mas sem ativá-los, o que faz dele a forma mais segura de transferir itens por entre um circuito.

## FUNIL

O funil é o bloco de armazenamento mais versátil. Ele pode transferir itens de um contentor para outro e recolherá os itens que caírem sobre ele, o que faz do funil uma parte importante de muitas construções de redstone.

## OBSERVADOR

Este bloco de cara séria verifica constantemente os blocos diretamente à sua frente e produz um sinal de redstone pela sua face traseira quando observa uma alteração. É capaz de detetar diversos tipos de alterações nos blocos.

## SENSOR SCULK

Enquanto o observador deteta a maior parte das alterações visíveis, o sensor sculk faz o mesmo pelas vibrações. Ele produz um sinal diferente de acordo com o evento em causa, desde passos até à abertura de um baú.

### DICA

Os sensores sculk apenas podem ser extraídos ou recolhidos de um baú. Encontra-os no bioma de escuro profundo.

## CARRIL DETETOR

O carril detetor é uma variante do carril que transporta vagonetas e produz um sinal de redstone quando uma vagoneta passa sobre ele. Pode ser usado com o ativador e com os carris eletrificados para criar sistemas de carris complexos.

## CARRIL ATIVADOR

As vagonetas viajam pelos carris ativadores de forma normal. Mas quando estes são alimentados por redstone, quaisquer vagonetas que passem por eles serão ativadas. Isto pode levar as vagonetas com funis a transferir itens ou fazer explodir as vagonetas com TNT!

## CARRIL COM PROPULSÃO

Quando recebe um sinal de redstone, o carril com propulsão pode ativar outros carris em redor numa linha ferroviária. Uma vez ativados, os carris com propulsão aumentarão a velocidade das vagonetas, mas diminuirão a velocidade se estiverem inativos.

## CANDEEIRO DE REDSTONE

A única fonte de luz com redstone dedicada é o candeeiro de redstone, e que é criado com pó de redstone e pedra luminosa. Ao contrário da pedra luminosa, o candeeiro de redstone pode ser ativado ou desativado ao receber um sinal de redstone.

# O PODER DA REDSTONE

## TOCHA DE REDSTONE

Sozinha, a tocha de redstone produz um sinal de redstone constante em potência máxima aos blocos horizontalmente adjacentes ou imediatamente por cima da tocha. As tochas de redstone são ativadas por defeito, o que faz com que sejam ideais para alimentar candeeiros de redstone. Mas atenção: quando recebem alimentação ou sinal de outra origem, o seu sinal é invertido.

## BLOCO DE REDSTONE

Quando é colocado, um bloco de redstone produz um sinal constante e de potência máxima para os blocos junto de qualquer uma das suas faces. Ao contrário da tocha de redstone, não podes inverter o seu sinal, mas se usares pistões e pistões adesivos podes movê-lo, podendo usá-lo num sistema de potência alternada. Podes criar um com nove pedaços de pó de redstone.

## ALAVANCA

Se interagires com uma alavanca, ela produzirá um sinal de redstone contínuo com potência máxima até voltares a interagir com ela. Usa-a para abrir uma porta e ela ficará aberta até a voltares a ativar. Os mobs não podem interagir com alavancas, por isso são ótimas para a segurança do teu lar.

Para fazer com que um mecanismo de redstone funcione, precisarás de usar um dos vários blocos de alimentação. Todos têm funcionamentos ligeiramente diferentes, o que significa que encontrarás sempre o ideal para a tua construção. Vamos ver estas fontes de energia mais de perto.

## BOTÃO

Uma vez pressionado, produzirá um sinal máximo temporário ao bloco ao qual está ligado ou a componentes adjacentes antes de voltar a desligar-se, o que se chama de monoestabilidade. Um botão pode abrir uma porta por breves instantes, deixando que entres, mas fechá-la logo, para impedir a entrada de elementos indesejados.

## SENSOR DE LUZ DO DIA

Quando um sensor de luz do dia é exposto à luz natural, ele produz um sinal variável para os componentes adjacentes dependendo do brilho da luz. Como tal, podes usá-lo para criar luzes noturnas automáticas que são ativadas assim que fica escuro no exterior. É uma excelente forma de manteres a tua base segura.

## ALVO

O bloco de alvo debita um sinal de redstone monoestável quando é atingido por um projétil. Quanto mais perto o projétil ficar do interior da face, mais forte será o sinal, e as flechas e os tridentes duplicam a duração. O alvo também é usado para mudar a circulação da redstone, embora os sinais de redstone que possa receber não tenham qualquer efeito sobre ele.

## PLACAS DE PRESSÃO

Existem quatro tipos de placas de pressão e todas são ativadas quando é colocado peso sobre elas e desativadas quando esse peso é removido.

*As placas de pressão de madeira produzem sempre um sinal na potência máxima, seja um jogador, um mob ou um item em cima delas.*

*As placas de pressão de pedra produzem o mesmo sinal máximo das placas de madeira, mas apenas funcionam com jogadores e mobs.*

*As placas de pressão leves produzem um sinal variável dependendo de quantos jogadores, mobs ou itens têm sobre elas, produzindo sinal máximo com 15 entidades.*

*As variantes pesadas comportam-se da mesma forma que as versões leves, mas requerem dez vezes mais entidades para a ativação.*

## BAÚS ARMADILHADOS

Embora possas armazenar itens no seu interior, o baú armadilhado alimentará os componentes de redstone adjacentes quando é aberto. A potência do sinal produzido corresponde a quantas pessoas estiverem a aceder a ele, num máximo de 15. Como bloco de armazenamento, os conteúdos são medidos por comparadores e debitam um sinal quando cheio. O sinal é desativado quando o baú é fechado.

## GANCHOS PARA FIO DE ARMADILHA

Coloca um par de ganchos para fio de armadilha em blocos sólidos virados um para o outro e estica um fio entre eles para criar um fio de armadilha. Quando um jogador ou mob o atravessa, criará um sinal monoestável com potência máxima em cada gancho, útil para iniciar vários componentes de um mecanismo, como um alarme de intrusão ou até flechas automatizadas.

## OBSERVADOR

Os observadores monitorizam os blocos diretamente à sua frente e debitam um sinal monoestável máximo sempre que o bloco observado muda. Por exemplo, ao detetar quando um item roda numa moldura ou quando uma planta, como a cana-de-açúcar, cresce. Quando deteta uma mudança, o observador emite um sinal da face traseira, oposta ao bloco que está a observar.

## SENSOR SCULK

O sensor sculk deteta vibrações num raio de nove blocos e debita um sinal monoestável que se torna mais forte quando as vibrações se aproximam. O sinal que produz é sem fios, ou seja, não precisa de estar ligado diretamente a componentes de redstone para ativá-los. Contudo, isto pode ativar peças inesperadas de mecanismos maiores se não tiveres cuidado. Podes usar um comparador de redstone para produzir um sinal de redstone tradicional baseado no tipo de vibração detetado pelo sensor sculk.

# APRENDER A USAR REDSTONE COM:
# JIGARBOY

## O QUE TE LEVOU A EXPLORAR A REDSTONE?

«Sempre tive interesse em criar jogos, mas nunca tive muito jeito para a programação. Já existiram vários jogos onde podemos criar outros jogos, mas o Minecraft, com a facilidade com que podemos editar o seu mundo e as capacidades da redstone, juntamente com a sintaxe de blocos de comando muito completa, permitiu-me seguir o meu sonho de criar jogos para outras pessoas no Marketplace do Minecraft. Tudo começou quando comecei a experimentar usar redstone num grande mundo de arenito e apercebi-me do que era possível criar.»

## O QUE TE FEZ PRIVILEGIAR A REDSTONE EM VEZ DAS CONSTRUÇÕES CRIATIVAS?

«O que eu mais gosto na redstone é podermos criar coisas capazes de manipular o mundo, como se fosse uma ferramenta, mas de forma mais indireta. Embora não seja o melhor construtor criativo, a redstone permite-me contar uma história aos jogadores de forma mais dinâmica do que num mundo estático.»

À primeira vista, os sistemas que podes criar com a redstone podem parecer altamente complexos, por isso falámos com Jigarbov, um dos principais engenheiros de redstone, estrela do YouTube e criador do Marketplace, para descobrir como ele deu os seus primeiros passos no mundo da redstone.

## O QUE JÁ FIZESTE COM A REDSTONE?

ITEMS BY JIGARBOV
PRODUCTIONS

SEE FULL CATALOG

«Aprender a trabalhar com a redstone permitiu-me criar uma série de experiências, jogos e quebra-cabeças interativos, bem como outros mapas para os jogadores. Até é possível passar para os blocos de comandos e a programação e fazê-lo de forma profissional no Marketplace do Minecraft.»

## O QUE MAIS APRECIAS NA REDSTONE?

«O que mais aprecio na redstone é a forma como segue as regras da lógica. Se fizeres isto, então acontece isto. Pode parecer surpreendente, mas a transição dessa lógica para a programação é um passo muito pequeno, sendo que a diferença óbvia é que passamos de colocar pó e tochas a escrever tudo em código.»

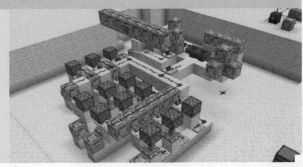

## QUAIS SÃO AS TUAS EXPETATIVAS PARA A REDSTONE?

«Todas as adições feitas à redstone são muito entusiasmantes, incluindo o sensor sculk, que abre espaço a mecânicas anteriormente indisponíveis, como a transmissão sem fios de redstone.»

## REPETIDOR DE REDSTONE

O repetidor de redstone é usado para controlar a circulação de um sinal e restaurar a sua potência máxima. A redstone apenas corre numa direção a partir de um repetidor, tal como ilustrado pela seta no topo. Se um repetidor receber um sinal lateral de outro repetidor, tranca o sinal como ligado ou desligado. Podes editá-los para acrescentar um atraso ao sinal: quanto mais distantes estiverem as minitochas, maior será o atraso.

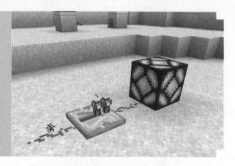

## PISTÃO

Quando um pistão recebe um sinal de redstone, ele alonga a cabeça na direção do espaço de blocos para onde está virado, empurrando qualquer bloco nessa direção. O pistão pode empurrar até doze blocos de seguida, incluindo aqueles que estiverem ligados por blocos de slime ou mel.
Alguns blocos são resistentes a esta força, como as magnetites, e outros quebram-se ao invés de serem empurrados, como as abóboras.

## PISTÃO ADESIVO

A cabeça do pistão adesivo está coberta de slime, o que também lhe permite puxar a maior parte dos blocos que podem ser empurrados. Estes pistões podem ser usados em mecanismos engenhosos, como uma ponte levadiça sobre um fosso de lava!

## FUNIL

Podes manipular itens armazenados com um funil de forma altamente precisa. Este bloco tem um tubo de saída que pode ser manipulado para ficar virado para as faces laterais dos blocos ou diretamente para baixo, dependendo do local para onde desejas enviar os itens. O topo aberto é usado para recolher itens soltos, mas também pode retirar itens armazenados e ordená-los diretamente para dentro de outro baú.

De que serve um sinal de redstone se ele não fizer nada? É para isso que existem os vários blocos nesta secção. Todos têm uma forma de manipular sinais, itens ou blocos e podem ser usados como o ponto terminal de um mecanismo ou apenas como mais uma engrenagem na tua máquina genial.

## LARGADOR

Os largadores têm entradas de armazenamento e largam um único item quando recebem um sinal de redstone. Podem ser ativados através de um sinal oriundo de qualquer direção e podem ser colocados de forma que a face de saída fique virada nas seis direções possíveis. Se existir mais do que um tipo de item armazenado, ele escolherá um item ao acaso para ejetar. Ao contrário do distribuidor em baixo, o largador nunca ativa os itens.

## DISTRIBUIDOR

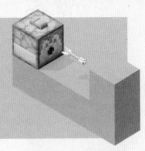

O distribuidor liberta os itens armazenados sempre que recebe um sinal de redstone. Tal como o largador, ele apenas liberta um item por ativação, por isso precisa de ser colocado num circuito de ativação cíclica para emitir mais do que um item. Alguns itens emitidos pelo distribuidor terão efeitos ativos: as flechas, os ovos e as bolas de neve serão disparados, as armaduras serão equipadas nos jogadores ou mobs e o TNT e os foguetes de fogo de artifício serão ativados!

## COMPARADOR DE REDSTONE

Os comparadores são blocos multiusos. Emitem sinais numa única direção tal como os repetidores e também podem medir o conteúdo dos itens em armazenamento para emitir um sinal de potência variável com base no quão cheio está o armazenamento. Têm dois modos principais: subtração e comparação.

*No modo de subtração, o sinal lateral mais forte é subtraído daquele que entra no bloco por trás. Assim, se o sinal lateral mais forte é 3 e existir um sinal traseiro de 10, será emitido um sinal com potência de 7. Se o sinal lateral for maior que o sinal traseiro, nada será debitado.*

*No modo de comparação, a minitocha frontal fica apagada e o comparador comparará a potência dos sinais laterais com a do sinal traseiro. Se o sinal traseiro for maior que ambos os sinais laterais, ele será transmitido pela frente, caso contrário nada será debitado.*

# CARRIL DE REDSTONE

## CARRIL

Os carris normais são usados para criar linhas juntamente com as variantes infundidas com redstone. São ligados de forma parecida ao pó de redstone para criar curvas, cruzamentos em T, encruzilhadas e rampas. Os cruzamentos em T e as encruzilhadas alternam por uma fonte de energia para mudar o sentido da marcha.

## CARRIL COM PROPULSÃO

Se quiseres acelerar as vagonetas pela linha, vais precisar do carril com propulsão, que tem de ser ativado por um carril detetor ou outra fonte de energia. Com o poder da redstone, podes fazer com que as vagonetas subam inclinações e até criares as tuas próprias montanhas-russas divertidas.

## CARRIL DETETOR

O carril detetor é o único carril capaz de fornecer energia e pode ativar carris de redstone e outros componentes de redstone. Ele produzirá um sinal de potência máxima quando uma vagoneta passar sobre ele. Se colocares um comparador ao lado de um carril detetor, ele produzirá um sinal variável para as vagonetas que passam com baús e funis, dependendo de quão cheias estiverem.

Quem disse que os mecanismos de redstone não podem sair do lugar? Com a inclusão dos carris, podes colocar a redstone em movimento, o que abre todo um mundo novo de funções e possibilidades. Vamos ver como podes transformar simples carris em máquinas de redstone incríveis...

## CARRIL ATIVADOR

Se uma vagoneta básica, uma vagoneta com TNT ou uma vagoneta com um funil passarem sobre um carril ativador quando este estiver ligado, isso fará com que a vagoneta ejete os mobs ou jogadores, iniciará a ignição do TNT ou desativará um funil para que não recolha itens. Por outro lado, se uma vagoneta com funil passar sobre um carril detetor inativo, voltará a recolher itens.

## VAGONETAS

Agora que tens uma linha de redstone fantástica, o que vais fazer com ela? Eis algumas das vagonetas ao teu dispor:

**VAGONETA**

**VAGONETA COM BAÚ**

**VAGONETA COM FORNALHA**

**VAGONETA COM FUNIL**

**VAGONETA COM TNT**

*A vagoneta básica pode transportar um jogador ou mob e não tem qualquer função além de poder iniciar carris ativadores.*

*Transporta a mesma quantia de itens de um baú normal. Quantos mais itens tiver, mais depressa abrandará.*

*A locomotiva das vagonetas: alimenta-a com combustível para fazê-la mover-se pela linha, mesmo sem a ajuda da redstone.*

*Uma vagoneta com funil recolhe os itens por perto ou puxa itens de blocos de armazenamento ao passar por baixo deles.*

*Uma vagoneta que explode se fizer uma curva rápida. É armada por carris ativadores e usada para mineração explosiva.*

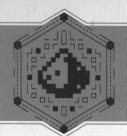

## TERRACOTA VIDRADA

Um bom bloco de construção para começar é a terracota vidrada. Para além dos padrões serem ótimos para separar mecanismos diferentes num mecanismo, também são especiais porque podem ser empurrados por pistões, mas não puxados por pistões adesivos.

## BLOCO DE SLIME

A aderência do bloco de slime pode ser usada em conjunção com os pistões e os pistões adesivos para empurrar blocos que não se encontram diretamente em frente à cabeça de um pistão, desde que os blocos ligados não sejam mais de 12. A maior parte dos mobs ressaltará dos blocos de slime, mas os itens não.

## BLOCO DE MEL

Tal como o slime, os blocos de mel também tentarão mover blocos adjacentes quando são empurrados por qualquer tipo de pistão, mas os itens, os jogadores e os mobs permanecerão ligados ao bloco. Se tentarem afastar-se do bloco, os mobs e os jogadores serão abrandados.

## TNT

Incorporado em várias construções, desde robôs de mineração até canhões de flechas, o TNT é um bloco explosivo que pode ser ativado por redstone e vários dos blocos de redstone. É muitas vezes combinado com pistões e slime para afastá-lo do mecanismo de redstone que o cria.

## OBSIDIANA

Se não conseguires lançar o TNT para longe do teu mecanismo, a obsidiana é o bloco mais indicado para proteger as partes mais sensíveis dos teus circuitos. Tem uma das resistências à explosão mais elevadas do jogo e pode proteger-te do TNT, de bolas de fogo e de explosões de creepers, bem como resistir à água e lava. Contudo, é completamente imóvel uma vez colocada.

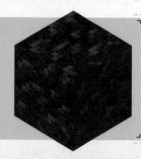

Como é óbvio, não podes simplesmente usar blocos de redstone para construir mecanismos. Seria o caos! Para além dos blocos de construção normais que usas para fazer estruturas, existem alguns blocos especiais que complementam o comportamento dos blocos de redstone na perfeição. Vamos ver quais são!

## DETRITOS ANCESTRAIS

Queres algo com a resistência da obsidiana, mas que também se consiga mover? Os detritos ancestrais são aquilo que procuras. Ao contrário da obsidiana, podem ser empurrados e puxados por pistões e pistões adesivos, o que significa que podes ter elementos muito móveis e resistentes na tua construção.

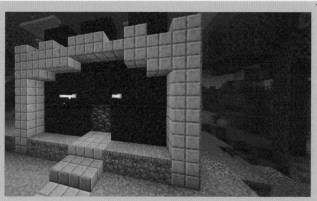

## LAJES

Estes blocos de meia altura, disponíveis em mais de 50 estilos diferentes, são úteis para criar redstone vertical de forma compacta. Ao invés de criares uma espiral de redstone que suba ou desça (ver página 32), podes colocar as lajes em formação de «escadote» num espaço de 1x2 para tornares a redstone mais compacta. Contudo, a redstone terá de ocupar a metade superior do espaço do bloco.

## MOLDURAS PARA OBJETOS

Muitos objetos podem ser medidos por comparadores para criar um sinal de redstone variável, mas o mais fácil é esta moldura. Põe uma num bloco, frente a um comparador, e ele deixará escolher a potência de um sinal baseada na orientação do objeto interior!

## BLOCOS DE NOTAS MUSICAIS

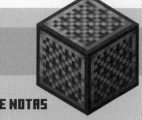

A redstone pode ser usada para ativar blocos de notas musicais, que são usados como alarmes ou postos ao longo de rotas para tocar composições musicais. Muda o tom ao intergir com eles e escolhe o instrumento (flauta ou didjeridu) ao trocar o bloco onde está posto.

# RESOLUÇÃO DE PROBLEMAS

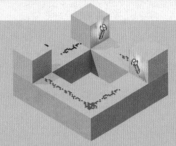

## DÁ LARGAS À CRIATIVIDADE

Não precisas das preocupações acrescidas de teres de afastar creepers que possam querer rebentar com os teus circuitos parcialmente construídos, por isso, quando criares um mecanismo pela primeira vez, fá-lo no modo Criativo. É o melhor sítio para praticares sem te preocupares com mobs, vida ou fome, e assim podes focar-te a 100% na redstone.

## USA BLOCOS COLORIDOS

Usar um bloco simples como terracota na estrutura dos teus mecanismos fará com que todos os elementos de redstone se destaquem de forma agradável. Quando chegar a hora de fazeres construções mais complicadas, podes separar partes diferentes do teu mecanismo com uma cor igualmente diferente de terracota para ser mais fácil detetar possíveis erros.

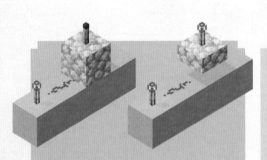

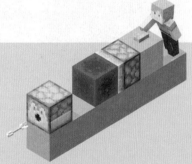

## OPACO OU TRANSPARENTE

Há alguns blocos parciais e outros transparentes capazes de transmitir um sinal de redstone, mas na maioria dos casos é mais fácil usar blocos completos e opacos para transmitir a redstone. Quer seja para passar um sinal de um botão ou só para fazer correr o pó de redstone, os blocos sólidos são a opção inicial mais segura. Os blocos parciais são recomendados para construções compactas.

## TESTA COM FREQUÊNCIA

Não passes horas a construir um mecanismo de redstone sem o testares, caso contrário poderá chegar a altura de carregar no botão... e nada acontece. Em vez disso, faz testes de poucos em poucos minutos para te certificares que todas as peças estão a funcionar corretamente antes de passares para a próxima fase. Será muito menos irritante se algo não funcionar.

Os sistemas de redstone são complicados e por vezes tentar criar mecanismos pode ser uma tarefa frustrante. Mas não te preocupes, até os melhores construtores podem ter dificuldades. Estas dicas úteis podem ajudar-te a limar todas as arestas na tua nova construção de mestre.

## PRIMEIRO CRIA, DEPOIS MELHORA

Talvez vejas construtores a darem forma a mecanismos de redstone muito pequenos ou de forma muito rápida, ou até construções completamente silenciosas. Embora isto seja tudo ótimo, antes de mais deves focar-te em fazer com que a tua construção funcione. Após teres um mecanismo funcional em mãos, considera que partes poderás tornar mais pequenas ou as peças que funcionariam de forma mais eficiente ao recorreres a algumas escolhas diferentes.

## SUBSTITUI BLOCOS

A caixa de ferramentas da redstone é enorme e as possíveis interações entre elas é uma autêntica teia. Podes pensar que já sabes exatamente como queres que a tua construção funcione, mas não tenhas receio de substituir blocos para veres como eles se comportam nos teus circuitos. Por exemplo, se quiseres certificar-te de que o teu sinal apenas corre num sentido, tenta ver como um comparador ou um repetidor afetam o sinal e qual é o mais indicado para ti.

# MONTAR
# MECANISMOS

Agora que já aprendeste os princípios básicos
e encheste o teu inventário com todos os componentes
de redstone que possas precisar, está na hora de
veres como eles podem ser combinados para alcançar
coisas extraordinárias. Nesta secção, vais descobrir
todos os circuitos diferentes que podes usar
e como combiná-los para construir mecanismos
simples... e construções épicas!

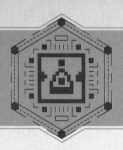

## SINAL INVERTIDO

Ao acrescentares uma tocha de redstone à parte da frente de um bloco sólido, podes inverter um sinal que entra pela traseira do bloco. Basicamente, a tocha da frente só é ativada quando a fonte de energia principal é desligada. Isto é muito útil se quiseres trocar a funcionalidade de uma alavanca, botão ou placa de pressão.

## INVERSÃO VERTICAL

Também podes inverter um sinal verticalmente ao empilhares tochas de redstone e blocos sólidos de forma alternada. Funciona exatamente da mesma forma, mas transmite um sinal para cima. A única coisa que deves ter em conta é que precisas de ter um número ímpar de tochas de redstone para inverter um sinal, caso contrário isso não acontecerá.

## PISTÃO COM SLIME

Não estamos a falar de um pistão adesivo, mas sim de um pistão com um bloco de slime agarrado. Ao invés de apenas empurrar e puxar um bloco que está à frente de um pistão adesivo, um bloco de slime ligado a um pistão permitir-te-á empurrar e puxar blocos ligados às cinco faces expostas. Também podes usar um bloco de mel da mesma forma.

Antes de começarmos a falar dos circuitos, talvez seja boa ideia olhar para algumas combinações úteis que irás encontrar em algumas das próximas construções. E talvez possas dar uso a estas dicas noutros circuitos e mecanismos além daqueles que falaremos mais tarde.

## CONTROLO DE CIRCULAÇÃO

Os repetidores, para além de serem capazes de maximizar um sinal de redstone, são ótimos a controlar a circulação nos circuitos de redstone. Eles pegam no sinal de um bloco que se encontra ao seu lado e apenas o transmitem para a frente, permitindo assim que tenhas fios a correrem de forma paralela.

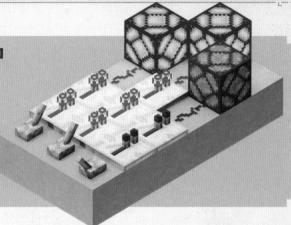

## CIRCUITOS EM LAJES

As lajes são uma ferramenta única da redstone porque apenas têm meio bloco de tamanho, mas podes colocar pó de redstone em cima delas. São bem úteis para controlar a circulação de redstone de forma vertical, pois transmitem um sinal para cima (não para baixo), à semelhança da capacidade de um repetidor para controlar a circulação horizontal.

## MEDIR O CONTEÚDO

As principais funções dos comparadores são subtrair e comparar sinais, mas eles também podem medir o estado dos blocos e produzir um sinal de acordo com isso. Podem medir a capacidade atual de qualquer bloco com capacidade de armazenamento, como baús e distribuidores, bem como colmeias, ninhos de abelhas, bolos, caldeirões, compostores, blocos de comando, molduras de portal do Fim, molduras de objetos, jukeboxes, atris, âncoras de ressurgimento e sensores sculk.

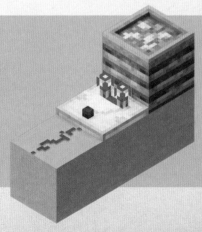

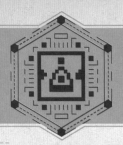

# TRANSMISSÃO VERTICAL

## ESCADARIA

Este circuito de transmissão vertical pode transmitir um sinal de redstone para cima ou para baixo, mas pode ocupar muito espaço, especialmente se precisares de envolvê-lo em torno de outros elementos.

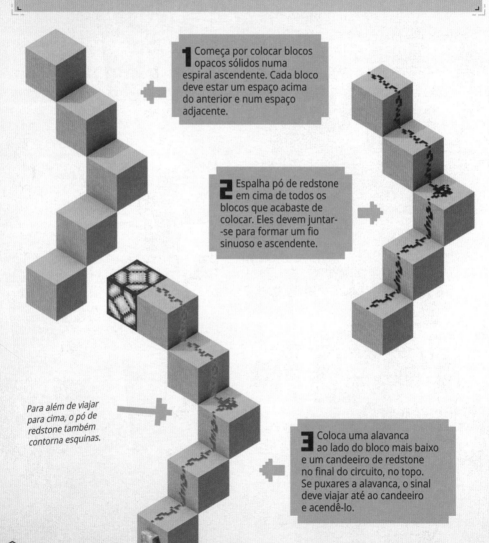

**1** Começa por colocar blocos opacos sólidos numa espiral ascendente. Cada bloco deve estar um espaço acima do anterior e num espaço adjacente.

**2** Espalha pó de redstone em cima de todos os blocos que acabaste de colocar. Eles devem juntar--se para formar um fio sinuoso e ascendente.

*Para além de viajar para cima, o pó de redstone também contorna esquinas.*

**3** Coloca uma alavanca ao lado do bloco mais baixo e um candeeiro de redstone no final do circuito, no topo. Se puxares a alavanca, o sinal deve viajar até ao candeeiro e acendê-lo.

Agora está na hora de colocares em prática tudo o que aprendeste e construíres o teu primeiro circuito. Vamos começar com algo simples: um circuito de transmissão vertical capaz de transmitir um sinal do solo para cima, o que é útil para controlar mecanismos que ficam acima ou abaixo de um interruptor.

## ESCADOTE

Esta versão é muito mais compacta e requer apenas um espaço de 1x2 no solo. No entanto, apenas pode transmitir um sinal de redstone para cima, e não para baixo.

**1** Constrói duas colunas com qualquer bloco sólido. Deixa um espaço de dois blocos entre as duas colunas.

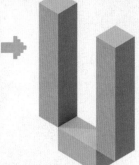

**2** Adiciona uma laje ao lado do bloco mais baixo numa das colunas. A laje deve ocupar a metade superior do espaço do bloco, por isso coloca-a junto à metade superior do bloco.

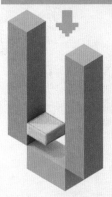

**3** Faz o mesmo na coluna oposta. Junta uma laje à metade superior do segundo bloco. Repete este processo alternado até alcançares a altura desejada.

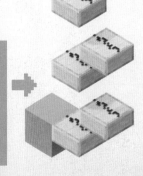

**4** Destrói todos os blocos sólidos, exceto aquele onde se encontra a laje mais baixa. Coloca pó de redstone em cada laje. Vais reparar que não se junta num fio.

**5** Coloca uma alavanca no bloco sólido e um candeeiro de redstone junto à laje mais alta. Puxa a alavanca e o sinal, ao subir pelo escadote, acende o candeeiro.

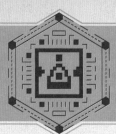

# ALARME
# DE INTRUSÃO

**DIFICULDADE:**

⬡ ⬡ ⬡ ⬡ ⬡  🕐 30 mins

BLOCOS PRINCIPAIS

FRENTE

LADO

TOPO

Vamos usar as tuas novas habilidades no manejo de redstone para criar um mecanismo com redstone vertical. Este alarme de intrusão usa as transmissões verticais em escadaria e escadote para te avisar da presença de invasores na tua base e até vai servir para tentar afastá-los!

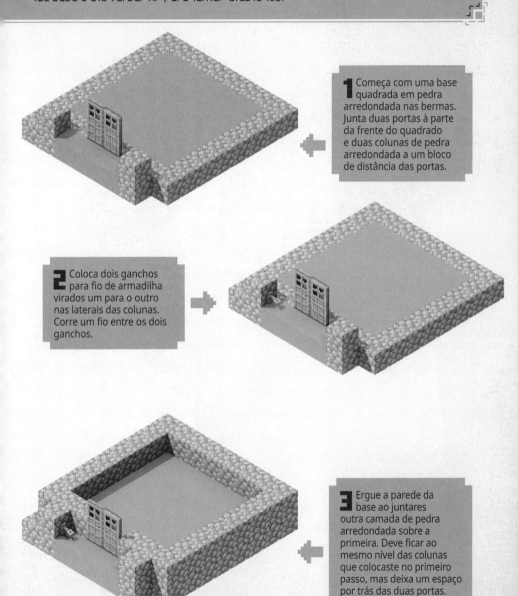

**1** Começa com uma base quadrada em pedra arredondada nas bermas. Junta duas portas à parte da frente do quadrado e duas colunas de pedra arredondada a um bloco de distância das portas.

**2** Coloca dois ganchos para fio de armadilha virados um para o outro nas laterais das colunas. Corre um fio entre os dois ganchos.

**3** Ergue a parede da base ao juntares outra camada de pedra arredondada sobre a primeira. Deve ficar ao mesmo nível das colunas que colocaste no primeiro passo, mas deixa um espaço por trás das duas portas.

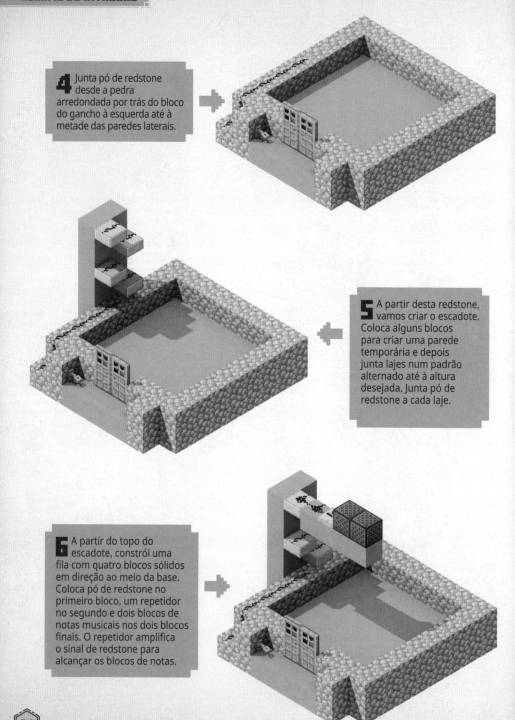

**4** Junta pó de redstone desde a pedra arredondada por trás do bloco do gancho à esquerda até à metade das paredes laterais.

**5** A partir desta redstone, vamos criar o escadote. Coloca alguns blocos para criar uma parede temporária e depois junta lajes num padrão alternado até à altura desejada. Junta pó de redstone a cada laje.

**6** A partir do topo do escadote, constrói uma fila com quatro blocos sólidos em direção ao meio da base. Coloca pó de redstone no primeiro bloco, um repetidor no segundo e dois blocos de notas musicais nos dois blocos finais. O repetidor amplifica o sinal de redstone para alcançar os blocos de notas.

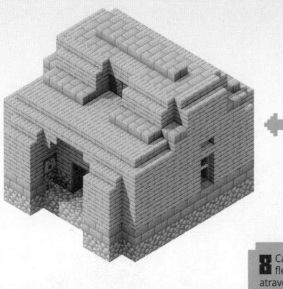

**7** Por fim, temos de esconder o mecanismo. Constrói em torno do escadote de redstone e do mecanismo no telhado. Coloca distribuidores por cima de ambos os ganchos e transforma a entrada num arco fechado.

**8** Carrega os distribuidores com flechas. Agora, quando um intruso atravessar o fio, o alarme no topo do edifício será ativado e serão disparadas flechas na direção de quem estiver à porta.

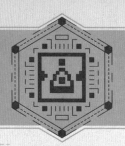

# PORTAS DE LÓGICA

## PORTA NOT

A primeira porta de lógica que vamos ver chama-se uma porta NOT, ou «NÃO». Por defeito, um componente de redstone é ativado quando a sua fonte de energia está ligada, mas ao adicionar uma porta NOT entre a fonte e o componente, o componente será ativado quando a fonte de energia NÃO estiver ativa e será desativado quando a energia é ligada.

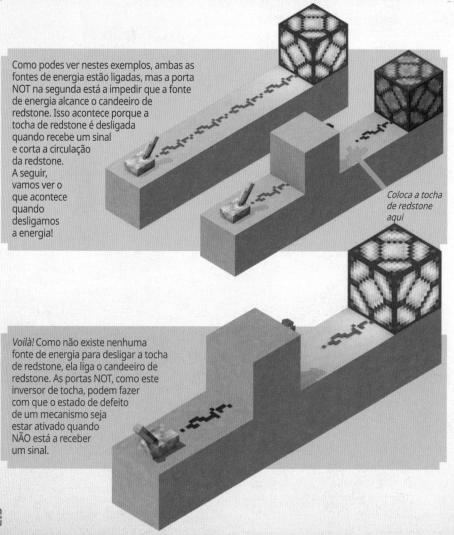

Como podes ver nestes exemplos, ambas as fontes de energia estão ligadas, mas a porta NOT na segunda está a impedir que a fonte de energia alcance o candeeiro de redstone. Isso acontece porque a tocha de redstone é desligada quando recebe um sinal e corta a circulação da redstone. A seguir, vamos ver o que acontece quando desligamos a energia!

Coloca a tocha de redstone aqui

*Voilà!* Como não existe nenhuma fonte de energia para desligar a tocha de redstone, ela liga o candeeiro de redstone. As portas NOT, como este inversor de tocha, podem fazer com que o estado de defeito de um mecanismo seja estar ativado quando NÃO está a receber um sinal.

Para além de enviarem um sinal para cima e para baixo, também existem circuitos que controlam SE um sinal deve ser enviado de todo. As portas de lógica podem ser criadas para ordenar um ou mais sinais e providenciar uma saída quando certos critérios são cumpridos. Vamos ver algumas portas bem úteis.

## PORTA OR

Se quiseres ativar múltiplas entradas para um mecanismo de redstone, tens várias opções à escolha. Usar um portão OR, ou «OU», transmitirá um sinal de redstone quando qualquer uma das entradas é ativada. O exemplo em baixo usa três entradas diferentes que viajam através de repetidores de redstone para isolar os sinais.

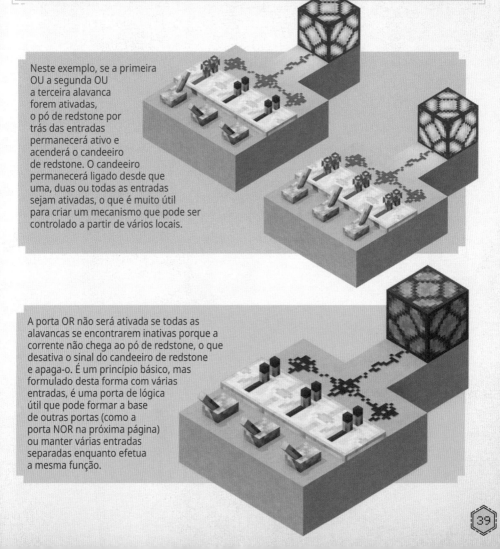

Neste exemplo, se a primeira OU a segunda OU a terceira alavanca forem ativadas, o pó de redstone por trás das entradas permanecerá ativo e acenderá o candeeiro de redstone. O candeeiro permanecerá ligado desde que uma, duas ou todas as entradas sejam ativadas, o que é muito útil para criar um mecanismo que pode ser controlado a partir de vários locais.

A porta OR não será ativada se todas as alavancas se encontrarem inativas porque a corrente não chega ao pó de redstone, o que desativa o sinal do candeeiro de redstone e apaga-o. É um princípio básico, mas formulado desta forma com várias entradas, é uma porta de lógica útil que pode formar a base de outras portas (como a porta NOR na próxima página) ou manter várias entradas separadas enquanto efetua a mesma função.

## PORTA NOR

Podemos combinar a porta NOT e a porta OR para criar uma porta de lógica que apenas transmitirá um sinal quando nenhuma das entradas estiver ativa. Se adicionarmos o mecanismo de inversão da tocha da porta NOT à porta OR, vamos criar uma porta NOR («NEM»).

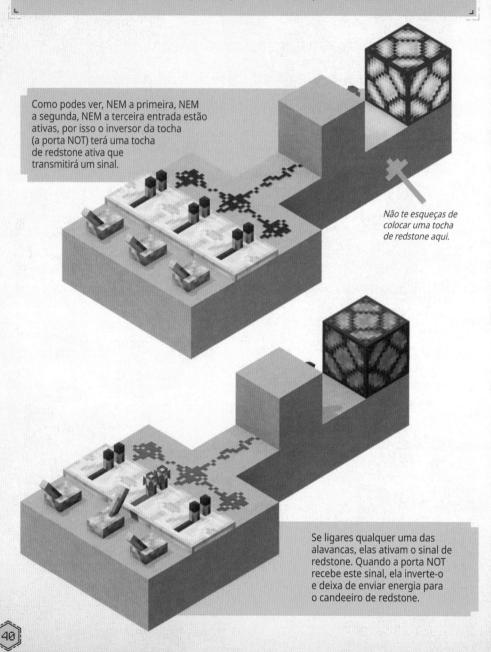

Como podes ver, NEM a primeira, NEM a segunda, NEM a terceira entrada estão ativas, por isso o inversor da tocha (a porta NOT) terá uma tocha de redstone ativa que transmitirá um sinal.

*Não te esqueças de colocar uma tocha de redstone aqui.*

Se ligares qualquer uma das alavancas, elas ativam o sinal de redstone. Quando a porta NOT recebe este sinal, ela inverte-o e deixa de enviar energia para o candeeiro de redstone.

# PORTA AND

Por fim, temos a porta AND («E»), que transmitirá um sinal apenas quando todas as entradas componentes estiverem ativas. Este exemplo mostra uma porta AND com duas entradas diferentes ligadas a tochas de redstone. Se ambas as entradas estiverem inativas, as tochas de redstone permanecerão ligadas, o que dá energia ao pó de redstone entre elas e mantém a última tocha de redstone inativa.

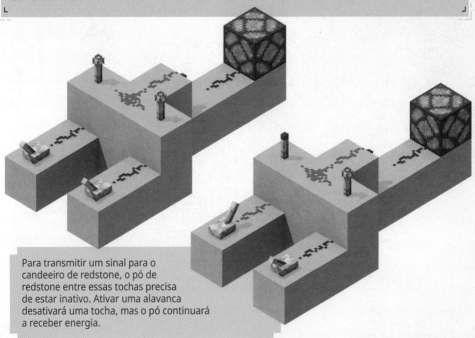

Para transmitir um sinal para o candeeiro de redstone, o pó de redstone entre essas tochas precisa de estar inativo. Ativar uma alavanca desativará uma tocha, mas o pó continuará a receber energia.

Ao tornar a segunda entrada inativa, ambas as tochas serão desativadas juntamente com o pó de redstone, o que faz ligar a tocha final e transmite um sinal ao longo do circuito.

## DICA

As portas de lógica podem ser expandidas facilmente. Se perceberes a forma como são criadas, podes alongá-las para levar em conta ainda mais entradas ou combiná-las para criar lógicas diferentes para os teus mecanismos.

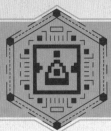

# GALERIA DE TIRO

BLOCOS PRINCIPAIS

FRENTE

LADO

TOPO

Vamos usar uma porta NOR para criar uma diversão engraçada que colocará à prova a tua pontaria com o arco e flecha. Esta construção usa uma porta NOR para ativar fogo de artifício quando atingires os três alvos no centro. Sim, tecnicamente poderias atingir o mesmo alvo três vezes, mas isso não seria tão divertido, pois não?

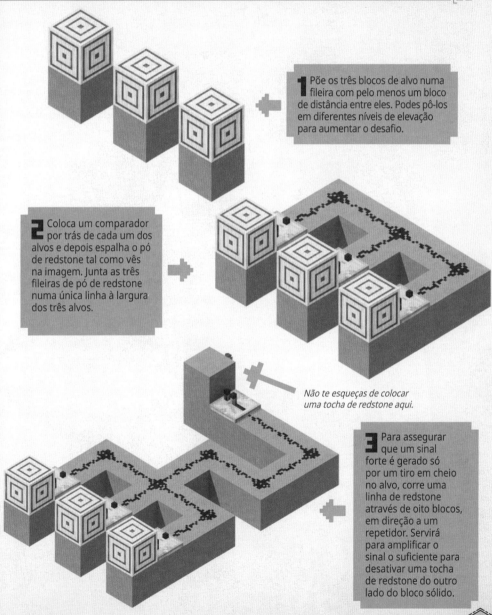

**1** Põe os três blocos de alvo numa fileira com pelo menos um bloco de distância entre eles. Podes pô-los em diferentes níveis de elevação para aumentar o desafio.

**2** Coloca um comparador por trás de cada um dos alvos e depois espalha o pó de redstone tal como vês na imagem. Junta as três fileiras de pó de redstone numa única linha à largura dos três alvos.

*Não te esqueças de colocar uma tocha de redstone aqui.*

**3** Para assegurar que um sinal forte é gerado só por um tiro em cheio no alvo, corre uma linha de redstone através de oito blocos, em direção a um repetidor. Servirá para amplificar o sinal o suficiente para desativar uma tocha de redstone do outro lado do bloco sólido.

**4** Coloca um funil com um baú ao lado a seguir à tocha de redstone. Ela será invertida de forma momentânea quando acertares no centro de um alvo, fazendo com que o funil se ligue ao baú por 1 tick. O baú precisa de 124 blocos para ser ativado, por isso enche-o com 121 blocos — assim, três tiros no centro do alvo resultarão em fogo de artifício!

**5** Coloca um comparador em frente ao baú. Isto mede o quão cheio se encontra o baú e apenas enviará um sinal depois de se atingir o número suficiente de disparos certeiros. Espalha pó de redstone sobre dois blocos e põe um distribuidor no final de modo que a face de saída fique virada para cima. Enche-o com fogo de artifício.

**6** Cria a forma da tua galeria de tiro. Podes usar fardos de palha como uma parede divisória entre os jogadores e os alvos e troncos de madeira como as paredes laterais. Cuidado: não tapes o pó de redstone com os troncos.

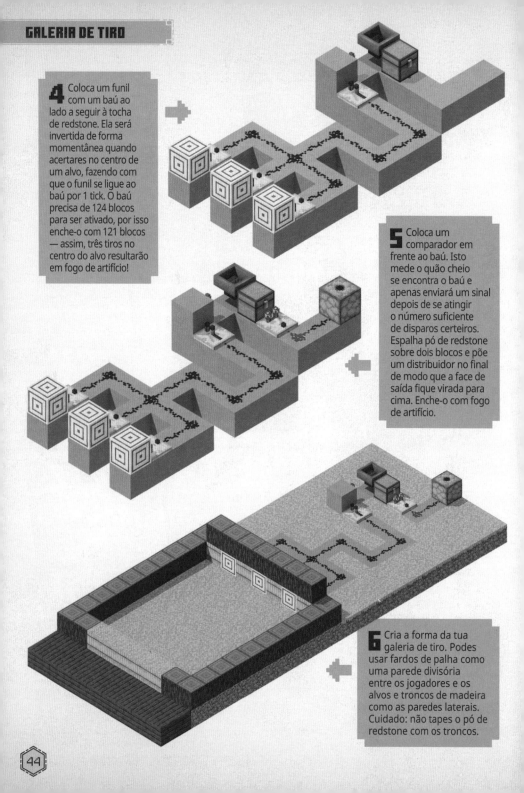

**7** Usa vedações para acrescentar uma moldura à parte da frente da galeria, de modo a criar uma janela com altura de quatro blocos, a partir da qual irás disparar. Pendura estandartes brancos e vermelhos no topo para dar cor e reduzir o tamanho da janela de disparo.

**8** Coloca um baú junto da janela e enche-o com arcos e flechas para que os jogadores tenham as ferramentas de que precisam para jogar o jogo à mão.

**9** Agora, dispara à vontade. Depois de atingires os três alvos no centro, o baú ficará cheio, será enviado um sinal para ativar o distribuidor e o fogo de artifício entrará em ação! Para criares um maior desafio, deixa o baú mais vazio e assim precisarás de mais tiros certeiros para iluminar o céu!

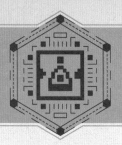

# CIRCUITOS DE PULSO

## GERADOR DE PULSO

Precisarás de um gerador para criar um sinal de pulso. A forma mais fácil de criar um gerador é combinar três repetidores com uma alavanca e pó de redstone. Quando uma alavanca é ativada, ela ligará os dois primeiros repetidores. O primeiro (definido para dois ticks de redstone) transmite o seu sinal para o pó de redstone, enquanto o outro bloqueia o terceiro repetidor, retendo o sinal no pó de redstone. Agora, quando desativas a alavanca, os primeiros dois repetidores são desativados, o que desbloqueia o terceiro repetidor e permite que o sinal corra, ligando o candeeiro de redstone por instantes.

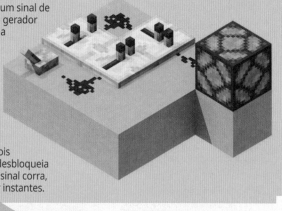

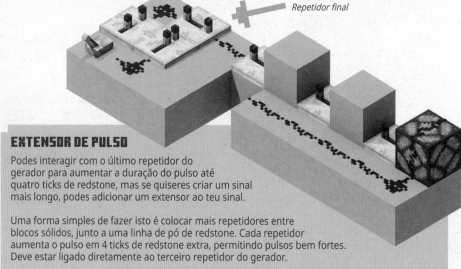

Repetidor final

## EXTENSOR DE PULSO

Podes interagir com o último repetidor do gerador para aumentar a duração do pulso até quatro ticks de redstone, mas se quiseres criar um sinal mais longo, podes adicionar um extensor ao teu sinal.

Uma forma simples de fazer isto é colocar mais repetidores entre blocos sólidos, junto a uma linha de pó de redstone. Cada repetidor aumenta o pulso em 4 ticks de redstone extra, permitindo pulsos bem fortes. Deve estar ligado diretamente ao terceiro repetidor do gerador.

Vários objetos de redstone geram um pulso no Minecraft, tais como os botões, mas os circuitos de pulso oferecem-te uma forma de criar o mesmo tipo de sinal de redstone com um maior controlo sobre o seu comportamento. Vamos ver como criar um circuito de pulso e também como adaptar o seu sinal.

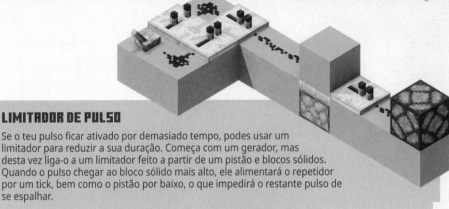

## LIMITADOR DE PULSO

Se o teu pulso ficar ativado por demasiado tempo, podes usar um limitador para reduzir a sua duração. Começa com um gerador, mas desta vez liga-o a um limitador feito a partir de um pistão e blocos sólidos. Quando o pulso chegar ao bloco sólido mais alto, ele alimentará o repetidor por um tick, bem como o pistão por baixo, o que impedirá o restante pulso de se espalhar.

*Lembra-te de adicionar uma tocha por baixo deste bloco.*

## DIVISOR DE PULSO

Podes adicionar um divisor ao teu gerador de pulso para que ele apenas transmita um sinal quando receber um certo número de pulsos.

Este divisor usa um objeto num anel de funis para contar quantos pulsos recebe. A tocha de redstone é ativada a cada pulso, movendo o objeto para o próximo funil. Quando chega ao largador, a saída será ativada. São necessários seis pulsos para ativar a saída deste divisor.

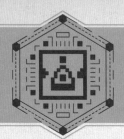

# ESCADARIA ESCONDIDA

BLOCOS PRINCIPAIS

FRENTE

LADO

TOPO

Os circuitos de pulso são ótimos para provocar uma mudança no Minecraft durante um curto período antes de inverter essa mesma mudança. Por exemplo, são perfeitos para esconder uma escadaria na tua base de modo a proteger pisos secretos. Segue estes passos para criares uma parede com uma escadaria secreta na tua base.

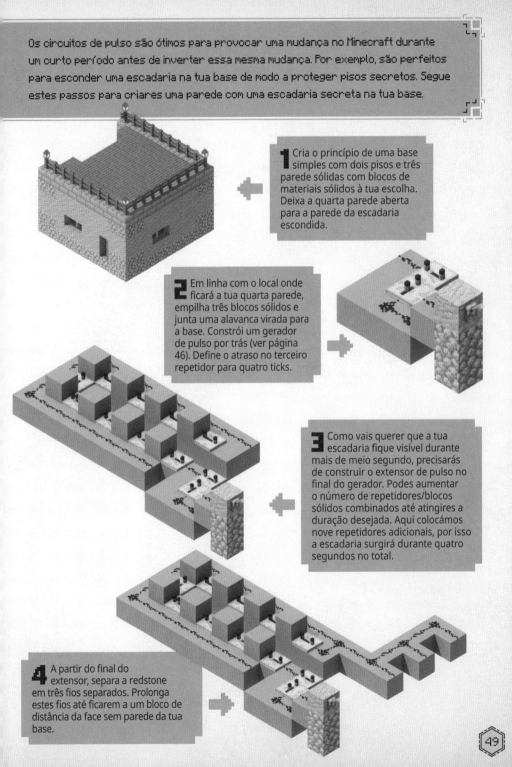

**1** Cria o princípio de uma base simples com dois pisos e três parede sólidas com blocos de materiais sólidos à tua escolha. Deixa a quarta parede aberta para a parede da escadaria escondida.

**2** Em linha com o local onde ficará a tua quarta parede, empilha três blocos sólidos e junta uma alavanca virada para a base. Constrói um gerador de pulso por trás (ver página 46). Define o atraso no terceiro repetidor para quatro ticks.

**3** Como vais querer que a tua escadaria fique visível durante mais de meio segundo, precisarás de construir o extensor de pulso no final do gerador. Podes aumentar o número de repetidores/blocos sólidos combinados até atingires a duração desejada. Aqui colocámos nove repetidores adicionais, por isso a escadaria surgirá durante quatro segundos no total.

**4** A partir do final do extensor, separa a redstone em três fios separados. Prolonga estes fios até ficarem a um bloco de distância da face sem parede da tua base.

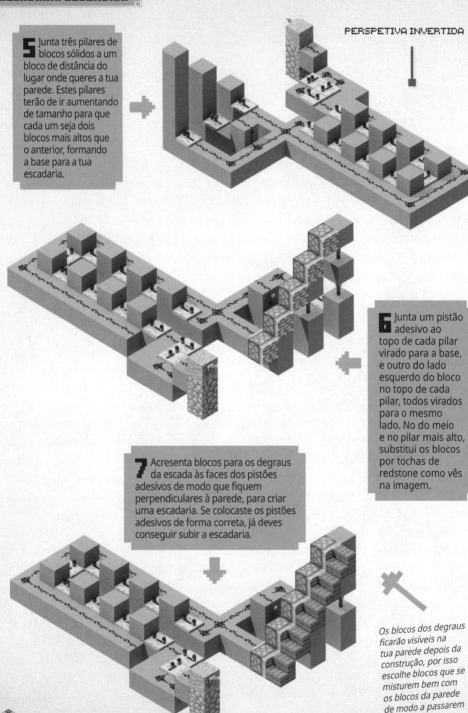

**5** Junta três pilares de blocos sólidos a um bloco de distância do lugar onde queres a tua parede. Estes pilares terão de ir aumentando de tamanho para que cada um seja dois blocos mais altos que o anterior, formando a base para a tua escadaria.

PERSPETIVA INVERTIDA

**6** Junta um pistão adesivo ao topo de cada pilar virado para a base, e outro do lado esquerdo do bloco no topo de cada pilar, todos virados para o mesmo lado. No do meio e no pilar mais alto, substitui os blocos por tochas de redstone como vês na imagem.

**7** Acrescenta blocos para os degraus da escada às faces dos pistões adesivos de modo que fiquem perpendiculares à parede, para criar uma escadaria. Se colocaste os pistões adesivos de forma correta, já deves conseguir subir a escadaria.

*Os blocos dos degraus ficarão visíveis na tua parede depois da construção, por isso escolhe blocos que se misturem bem com os blocos da parede de modo a passarem despercebidos.*

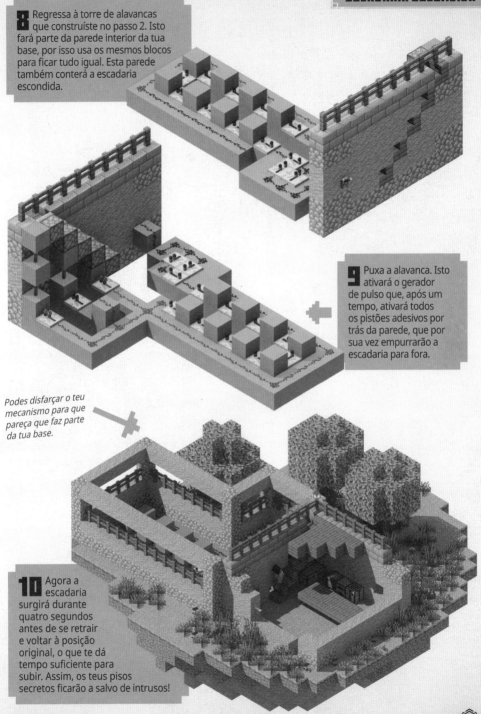

**8** Regressa à torre de alavancas que construíste no passo 2. Isto fará parte da parede interior da tua base, por isso usa os mesmos blocos para ficar tudo igual. Esta parede também conterá a escadaria escondida.

**9** Puxa a alavanca. Isto ativará o gerador de pulso que, após um tempo, ativará todos os pistões adesivos por trás da parede, que por sua vez empurrarão a escadaria para fora.

*Podes disfarçar o teu mecanismo para que pareça que faz parte da tua base.*

**10** Agora a escadaria surgirá durante quatro segundos antes de se retrair e voltar à posição original, o que te dá tempo suficiente para subir. Assim, os teus pisos secretos ficarão a salvo de intrusos!

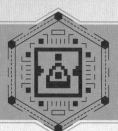

# CIRCUITOS DE RELÓGIO

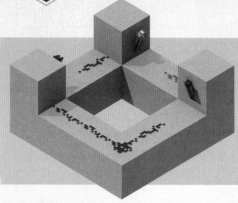

## RELÓGIO DE TOCHAS

O circuito de relógio mais fácil de criar usa tochas de redstone ligadas a blocos sólidos e conectadas através de pó de redstone. Cada uma destas combinações tocha/bloco é uma porta NOT, que é desativada quando recebe um sinal vindo de trás. Precisas de um número ímpar de tochas num relógio de tochas, ou o sinal tornar-se-á estável.

## RELÓGIO DE REPETIDORES

Podes fazer um circuito de relógio bem mais rápido com repetidores. Primeiro, vais precisar de dois repetidores lado a lado, virados em direções opostas, e depois adicionar pó de redstone à frente a atrás de cada um deles. Isto é o relógio, mas precisarás de uma fonte de energia temporária para ativá-lo. Coloca uma tocha de redstone junto ao pó e destrói-a para iniciar o relógio. Tens de ser veloz, se o sinal durar mais do que um, não entrará em loop.

Ao invés de usares um único pulso para ativares o teu mecanismo de redstone, talvez precises de fazer um sinal regular. Os circuitos de relógio são basicamente loops de sinais de redstone capazes de ativar repetidamente os componentes de redstone. Vamos ver algumas formas diferentes de criá-los.

## RELÓGIO DE TOCHAS E REPETIDORES

Combinar tochas e repetidores permite-te chegar a um meio-termo entre os dois exemplos anteriores. Este relógio terá uma porta NOT com inversor de tocha, por isso não arrisques sobrecarregar os repetidores, e faz um loop com três ticks ao invés dos cinco de um relógio de tochas. Para o criares, coloca repetidores lado a lado e em direções opostas, e depois coloca um bloco sólido em frente a um deles, com uma tocha de lado para alimentar por trás do segundo repetidor. Junta três pitadas de pó de redstone do outro lado dos repetidores e já está!

## RELÓGIO DE FUNIS

O circuito de relógio mais compacto é criado com funis. Coloca dois funis adjacentes com os tubos de saída virados um para o outro e depois larga um objeto no interior. Coloca um comparador de costas para um dos funis. Tal como o relógio de repetidores, este relógio precisa de ser ativado por breves instantes por uma fonte de energia, por isso coloca e destrói uma tocha ao lado de um funil. O objeto será passado de um funil para o outro e o comparador debitará um sinal regularmente ao detetar o objeto no funil por trás de si.

## DICA

Depois de ativares um relógio de funis, podes acrescentar um comparador ao lado do outro funil para criar dois relógios em alternância a partir da mesma fonte.

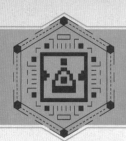

# BATERIA DE ARTILHARIA

**DIFICULDADE:**

⏱ 60 mins

BLOCOS PRINCIPAIS

FRENTE

LADO

TOPO

Os circuitos de relógio são ótimos para ativar mecanismos de redstone de forma sucessiva, especialmente aqueles usados como armas. Esta fileira de canhões de flechas receberá sinais de redstone regulares para lançar flechas sempre que o sinal é recebido. É uma excelente forma de manteres os invasores afastados.

**1** Podes juntar esta construção a qualquer parede ou muralha, mas vamos juntá-la ao topo de um castelo. Põe distribuidores entre as ameias com pelo menos um bloco de distância.

**2** Agora vamos usar o relógio de tochas e repetidores de que falámos há pouco. Constrói-o cerca de cinco blocos de distância das ameias. Não interessa para que lado fica virado, o que importa é que deve ter ativação imediata.

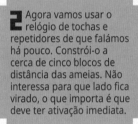

**3** Espalha uma linha de pó de redstone entre um dos repetidores em direção aos distribuidores. O sinal deve correr de forma repetida através desta linha.

**4** Agora queremos acrescentar um interruptor entre o circuito e os distribuidores, caso contrário ficarás sem flechas antes dos invasores se aproximarem. Acrescenta uma porta NOT com inversor de tocha no final do pó de redstone e coloca-lhe uma alavanca por cima.

VISÃO DE TOPO

**5** Espalha mais redstone em frente ao inversor de tocha e depois divide-a para que a redstone entre em cada um dos distribuidores. A porta NOT deve impedir que o sinal chegue aos distribuidores por enquanto. Caso contrário, ativa a alavanca.

**6** Enche os distribuidores de flechas. Deves adicionar todas as pilhas de 64 flechas que conseguires para não estares sempre a reabastecer os distribuidores.

**7** Agora cobre o circuito do relógio com blocos sólidos para protegê-lo de ataques. A obsidiana é uma boa escolha porque é bastante durável e é resistente às explosões. Mas não tapes a tua porta NOT porque precisarás de aceder à alavanca.

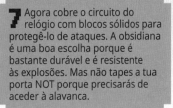

**8** Puxa a alavanca da porta NOT para deixar que o sinal corra através do inversor de tocha e ative os distribuidores. As flechas devem voar dos distribuidores de forma simultânea.

**9** O circuito de relógio estará constantemente ativo, mas podes usar essa alavanca para permitir que os distribuidores recebam o sinal sempre que os teus inimigos estiverem dentro do alcance. Para esconderes a tua arma, podes ligar os circuitos a portões de vedação para esconder os distribuidores quando estes não estiverem a ser usados.

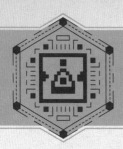

# TRUQUES COM REDSTONE

## SINAL DE POTÊNCIA EXATA

Algumas construções precisarão de um sinal de redstone que só percorre uma dada distância, mas a maioria das fontes de energia apenas ligam ou desligam o sinal. Combinando um pistão adesivo, um comparador e um bloco de armazenamento, podes criar uma fonte de energia com potência exata, enchendo o bloco de armazenamento até um certo grau. Depois podes usar um botão para alongar o bloco de armazenamento até ao comparador e produzir um sinal perfeito.

*Esta construção funciona na Edição Bedrock.*

## MUDANÇA DE DIREÇÃO

Se quiseres impedir que o teu sinal de redstone ative certos blocos pelos quais passa conforme viaja verticalmente, podes colocar itens para redirecionar o sinal. Normalmente o fio continuará após o bloco irrelevante, mas se for no final de um circuito, por exemplo, podes colocar um bloco de alvo a seguir ao bloco para o qual queres saltar e depois redirecionar a redstone. O bloco de alvo atrai a redstone porque é um bloco de redstone, mas não tem nenhuma função quando é ativado.

*Esta construção funciona na Edição Java.*

Agora que já aprendeste os circuitos básicos, estás a caminho de te tornares uma lenda da engenharia. Eis algumas dicas avançadas que te poderão ajudar a garantir o teu lugar no corredor da fama da redstone antes de avançarmos para as construções finais.

## TRANSMISSÃO SEM FIOS

A utilização de redstone sem fios é rara, mas não impossível. O exemplo mais simples são os sensores sculk, que emitem sinais de redstone ao serem ativados por vibrações próximas. Uma solução alternativa passa por usar dois sensores de luz do dia e comparar os seus sinais.
É possível usar um bloco ligado a um pistão para bloquear a luz do dia e transmitir um sinal sem fios. Não podem existir outros blocos no caminho, tem de ser de dia e o céu tem de estar limpo, por isso nem sempre irá funcionar.

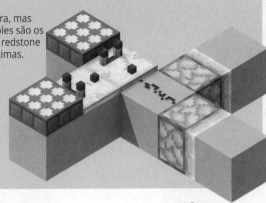

## SUBSTITUIÇÃO

Já vimos imensos circuitos diferentes, mas habitua-te a usá-los para criar equipamento que consideres útil. Uma forma bastante óbvia de criar um circuito de relógio é usando um circuito de carris, com carris com propulsão intermitentes e um carril detetor que emitirá um sinal sempre que uma vagoneta passar por ele. Não é a construção mais compacta, mas talvez seja a mais fácil de criar.

### DICA

Troca fontes de energia, blocos de manipulação e saídas para veres como podes alongar e elaborar as tuas construções de redstone únicas.

# OFICINA DE REDSTONE

Por esta altura já tiveste um gostinho do que é possível
fazer com redstone, mas isso foi apenas o início. Esta
secção juntará vários componentes, comportamentos
e circuitos para criar mecanismos impressionantes que
te ajudarão a minerar, a defenderes-te de invasores
e a manteres os teus tesouros em segurança.

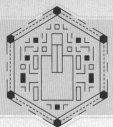

# ALÇAPÃO DE LAVA

**DIFICULDADE:**

🕐 60 mins

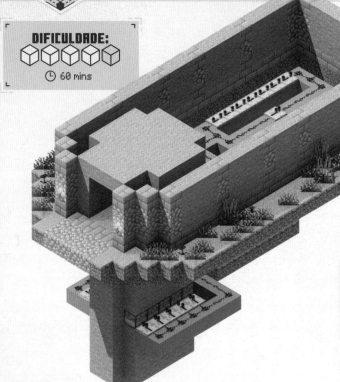

**BLOCOS PRINCIPAIS**

FRENTE

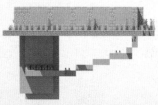

LADO

TOPO

A lava ou a queda: uma delas será fatal. Esta armadilha bifurcada usa um circuito de pulso e redstone vertical para abrir um alçapão sobre um poço com uma altura vertiginosa ao mesmo tempo que liberta lava sobre os ladrões em queda.

**1** Escava uma trincheira no solo com 2x5 blocos de largura e 10 blocos de profundidade. Coloca dois baús armadilhados no topo de novos blocos sólidos numa das bermas do poço — a parede da construção será por trás do baú armadilhado.

**2** Põe duas fileiras de pistões adesivos em frente ao baú armadilhado para ficarem viradas umas para as outras.

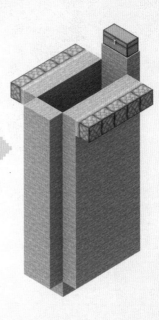

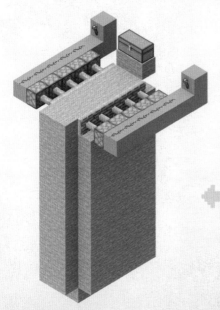

**3** Coloca um bloco sólido um espaço atrás de cada um dos pistões adesivos e espalha a redstone pelo topo dos blocos. No final destas novas fileiras, acrescenta um bloco um espaço acima e dois espaços ao lado de forma a ficar alinhado com o baú. Coloca-lhes uma tocha de redstone. Isto deve ativar os teus pistões e criar o piso do teu poço.

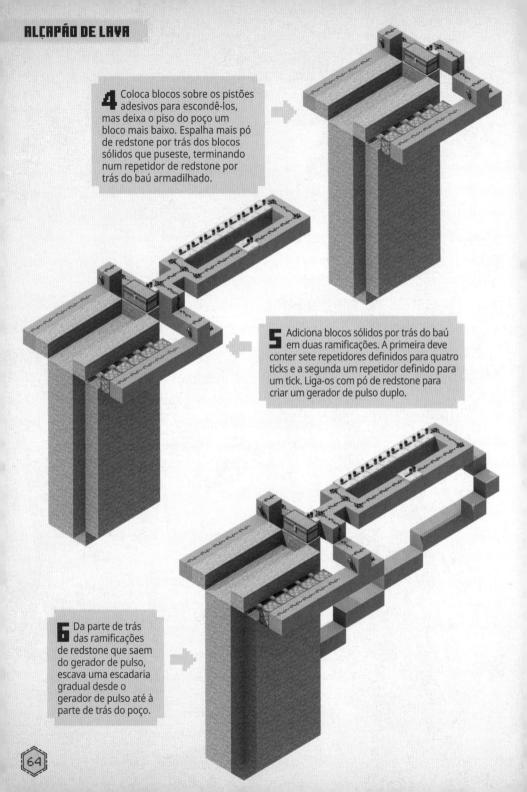

**4** Coloca blocos sobre os pistões adesivos para escondê-los, mas deixa o piso do poço um bloco mais baixo. Espalha mais pó de redstone por trás dos blocos sólidos que puseste, terminando num repetidor de redstone por trás do baú armadilhado.

**5** Adiciona blocos sólidos por trás do baú em duas ramificações. A primeira deve conter sete repetidores definidos para quatro ticks e a segunda um repetidor definido para um tick. Liga-os com pó de redstone para criar um gerador de pulso duplo.

**6** Da parte de trás das ramificações de redstone que saem do gerador de pulso, escava uma escadaria gradual desde o gerador de pulso até à parte de trás do poço.

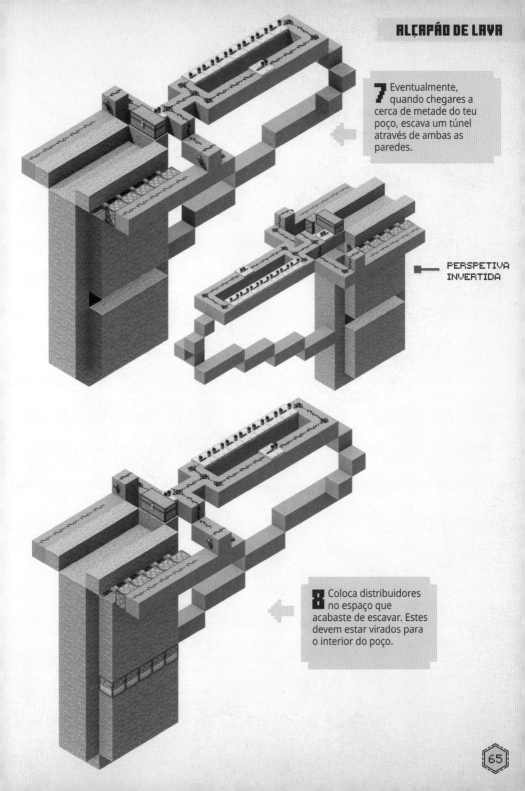

**7** Eventualmente, quando chegares a cerca de metade do teu poço, escava um túnel através de ambas as paredes.

PERSPETIVA INVERTIDA

**8** Coloca distribuidores no espaço que acabaste de escavar. Estes devem estar virados para o interior do poço.

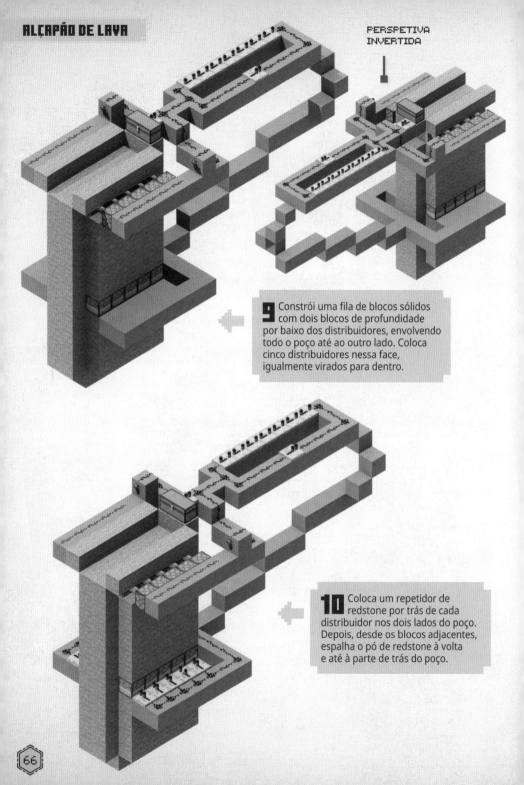

PERSPETIVA
INVERTIDA

**9** Constrói uma fila de blocos sólidos com dois blocos de profundidade por baixo dos distribuidores, envolvendo todo o poço até ao outro lado. Coloca cinco distribuidores nessa face, igualmente virados para dentro.

**10** Coloca um repetidor de redstone por trás de cada distribuidor nos dois lados do poço. Depois, desde os blocos adjacentes, espalha o pó de redstone à volta e até à parte de trás do poço.

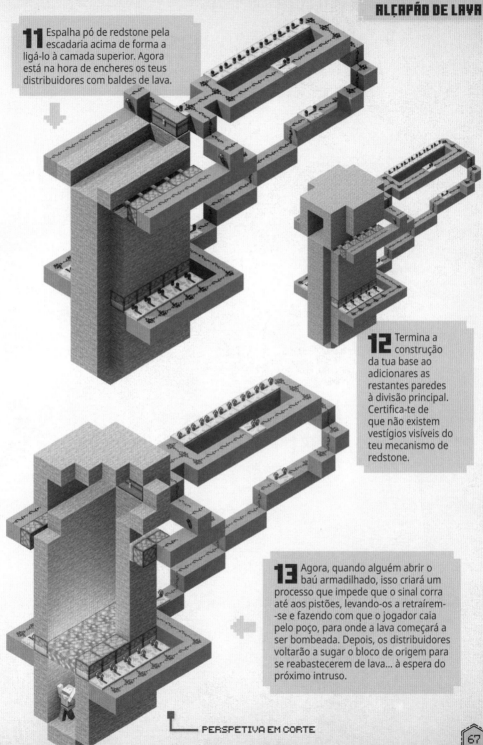

**11** Espalha pó de redstone pela escadaria acima de forma a ligá-lo à camada superior. Agora está na hora de encheres os teus distribuidores com baldes de lava.

**12** Termina a construção da tua base ao adicionares as restantes paredes à divisão principal. Certifica-te de que não existem vestígios visíveis do teu mecanismo de redstone.

**13** Agora, quando alguém abrir o baú armadilhado, isso criará um processo que impede que o sinal corra até aos pistões, levando-os a retraírem-se e fazendo com que o jogador caia pelo poço, para onde a lava começará a ser bombeada. Depois, os distribuidores voltarão a sugar o bloco de origem para se reabastecerem de lava... à espera do próximo intruso.

PERSPETIVA EM CORTE

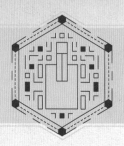

# ARMADILHAS DE ALÇAPÃO ALTERNATIVAS

## QUEDA "ALEATÓRIA"

Imagina só: alguém assalta a tua base e usa o baú armadilhado, mas nada acontece. Por isso, eles tomam a tua base como sua e continuam a usar o baú. Mas certa vez, quando vão usá-lo, caem numa armadilha. Se adicionares um divisor de pulso por trás do baú armadilhado antes do resto do mecanismo, o baú só será ativado da sexta vez que for aberto. É um plano a longo prazo, mas pode valer a pena a espera.

*Experimenta usar todos os blocos de redstone que viste neste livro. Que armadilha irás criar?*

## NEM UMA GOTA PARA BEBER

A lava é ótima para estas armadilhas, mas a água pode ser igualmente letal se for bem usada. Ao invés de encheres o poço de lava, enche-o de água de modo que o nível chegue aos blocos que estão ligados aos pistões, e assim, quando eles se fecharem, os intrusos ficarão presos debaixo de água! Se não desativares o elemento da lava, vais criar blocos de obsidiana que dificultarão ainda mais a tarefa dos intrusos encurralados que pretendam escavar um caminho para a liberdade.

Agora que já terminaste a tua armadilha de alçapão de lava, está na hora de veres como a podes tornar ainda melhor. Parte da diversão da redstone é fazer experiências para vermos como podemos mudar e melhorar as peças. Estas duas páginas mostram algumas formas como podes pegar numa construção e adaptá-la às tuas necessidades.

## LUTA PELA LIBERDADE

O que poderá ser mais chocante para um intruso do que uma queda inesperada num poço de combate? Esta armadilha largará os jogadores numa lagoa de água rasa no meio de uma sala com geradores de mobs! Assim que caírem na água, eles terão de começar a lutar pela sua vida e pela liberdade!

## HORA DE BRINCAR

Talvez queiras brincar com os intrusos em vez de fazer-lhes mal. Se tiveres tempo e vontade para isso, podes adicionar circuitos de relógio por trás de cada pistão para levá-los a abrir e fechar de forma aleatória. Depois, recosta-te e vê os intrusos a tentarem saltar de pistão em pistão na tentativa de fugirem a uma queda fatal.

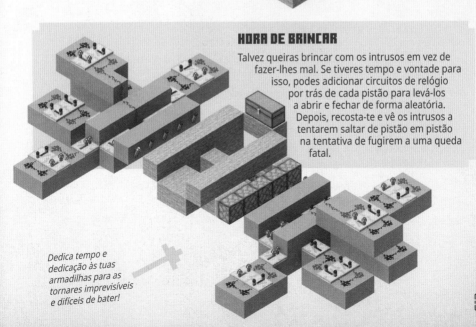

*Dedica tempo e dedicação às tuas armadilhas para as tornares imprevisíveis e difíceis de bater!*

# ANTES E AGORA COM:
# JIGARBOY

## ANTES

«Ainda tenho a minha primeira construção com redstone, da Alpha v1.1.2_01. Estava farto de entrar em casa e fechar a porta para me proteger dos creepers, por isso arranjei uma forma de fazer com que ela fechasse automaticamente com esta pequena engenhoca... Esta primeira construção mostra o quão pouco eu sabia sobre a redstone ao início. Porque é que havia pó de redstone entre o botão e a porta? Pensei que era preciso ligar os dois, mas estava enganado.»

«Pouco depois, comecei a trabalhar no meu primeiro projeto de redstone "a sério": uma estação de comboio intercontinental! Sem grandes conhecimentos, eu sabia que precisava de algumas estações intermédias porque, dependendo da direção da vagoneta, os impulsores teriam de estar orientados numa certa direção... Mas o que são os impulsores?»

«Os impulsores eram aquilo que usávamos para dar mais velocidade às vagonetas porque na altura não tínhamos carris com propulsão. Quando duas vagonetas se moviam numa linha juntas, elas geravam mais velocidade devido a um erro de colisão... O problema com os impulsores é que eram direcionais, por isso era importante saber o sentido da marcha! Se fizesse isto agora, substituía tudo por carris com propulsão. Como as coisas mudam.»

É espantoso o quanto as tuas capacidades podem evoluir depois de começares a trabalhar com redstone. Jigarbov está de volta para demonstrar o quão melhor podes ficar com algum trabalho árduo e dedicação. Vamos espreitar a sua primeira e última construção em redstone para descobrir como progrediu.

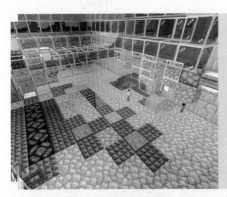

«Algum tempo depois destas pequenas experiências no modo Sobrevivência, comecei a criar mapas. Ou seja, a arte de criar um mundo para os jogadores explorarem e apresentar uma história, ou aventura, ou enigmas e minijogos. Embora agora se use mais os blocos de comandos, ainda continuamos a encontrar redstone na sua essência. Eu e uns amigos até fizemos um mapa de aventura inteiro no modo Sobrevivência apenas com redstone! Lançámos um mapa de aventura completo chamado "Perhaps, The Last" e a minha missão envolvia completar enigmas num monumento oceânico.»

«Começa como um simples enigma temporizado onde o jogador tem de mover um ovo através do tubo e levá-lo até ao outro lado. Usámos blocos de slime em pistões e circuitos de redstone escondidos para mover os ovos e chegar ao final. A complexidade aumenta na segunda parte, onde o jogador tem de mover o ovo através de uma rede de tubos mais complexa ao manipular uma série de pistões para mudar o curso da água. E termina com uma prova para bloquear um repetidor de redstone que faz a vagoneta mover-se até ao fim da linha, encher os funis de objetos e completar o desafio.»

«Muitos destes enigmas ensinam mecânicas de redstone fundamentais. A redstone não serve só para tornar os mundos de Sobrevivência melhores, ou para fazer um enorme robô que caminha, mas também para contar uma história e cativar os nossos amigos e outros jogadores com enigmas e muitas outras coisas maravilhosas.»

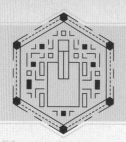

# FECHADURA DE ENTRADA DE FERROVIA

BLOCOS PRINCIPAIS

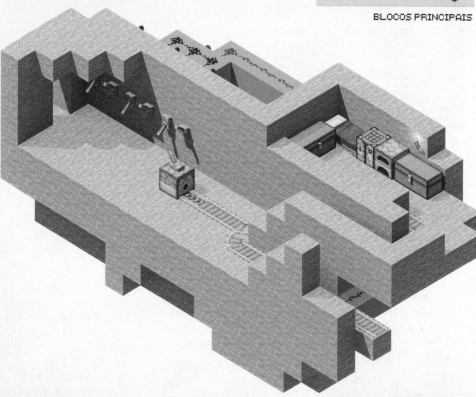

FRENTE

LADO

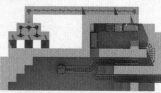

TOPO

Outra forma de manteres a tua base em segurança é através da dissimulação. A fechadura de entrada de ferrovia faz com que pareça que podes entrar na base diretamente com uma vagoneta, mas graças à parede com fechadura, só aqueles que sabem a combinação conseguirão entrar. Os outros serão lançados num penhasco!

**1** Constrói uma parede de 3x6 no exterior da tua base com blocos sólidos. Coloca alavancas ao longo da fileira intermédia de blocos para criar o início da fechadura de combinação.

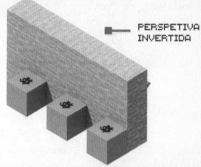

PERSPETIVA INVERTIDA

**2** Escolhe três das alavancas para criarem o teu código de entrada secreto. Coloca um bloco por trás destas três e depois espalha pó de redstone em cima de cada bloco.

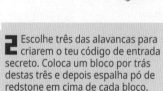

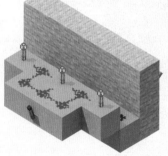

**3** Por trás dessa redstone, constrói uma porta AND (ver página 41) erguida e com três entradas. Coloca blocos sólidos para construir a plataforma, junta tochas de redstone aos blocos diretamente por trás da redstone que acabaste de espalhar e cobre os restantes blocos com pó de redstone. Coloca uma tocha de redstone ao meio, na parte de trás da plataforma.

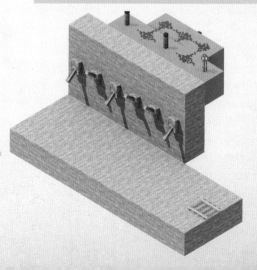

**4** Testa rapidamente: ativa as alavancas para assegurares que a porta AND está bem configurada e que deixa só uma tocha acesa atrás da parede. Depois, decide onde vais começar a bifurcação na tua ferrovia.

**5** Continua a tua ferrovia e divide-a em duas direções. Verás a curva do cruzamento adicionada ao carril entre o início das ramificações. Precisarás de uma trincheira com a largura de um bloco entre os dois caminhos, por isso escava-a.

**6** Agora precisas de ligar a porta AND à bifurcação da tua ferrovia. Espalha uma linha de pó de redstone na trincheira entre os caminhos e até à tocha de redstone que colocaste na parte de trás da porta AND. Há outra porta NOT pelo caminho e também um repetidor para aumentar a potência do sinal.

*A entrada não precisa de estar num nível superior – podes mudar a linha de acordo com o design da tua base.*

*Se estiveres a jogar na Edição Bedrock, retira esta porta NOT.*

**7** Agora prolonga os dois caminhos a partir da bifurcação. Com as alavancas desativadas, a bifurcação vai desviar a linha para a rota armadilhada. Continua esta rota mortal até um penhasco íngreme ou poço de lava. A outra linha deve conduzir à tua base. Se precisares de atravessar alguma rampa, usa carris detetores, ativadores e com propulsão para gerir a subida.

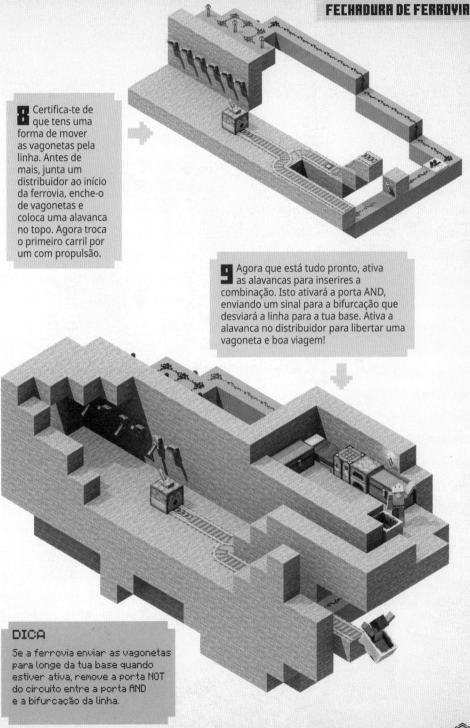

**8** Certifica-te de que tens uma forma de mover as vagonetas pela linha. Antes de mais, junta um distribuidor ao início da ferrovia, enche-o de vagonetas e coloca uma alavanca no topo. Agora troca o primeiro carril por um com propulsão.

**9** Agora que está tudo pronto, ativa as alavancas para inserires a combinação. Isto ativará a porta AND, enviando um sinal para a bifurcação que desviará a linha para a tua base. Ativa a alavanca no distribuidor para libertar uma vagoneta e boa viagem!

## DICA

Se a ferrovia enviar as vagonetas para longe da tua base quando estiver ativa, remove a porta NOT do circuito entre a porta AND e a bifurcação da linha.

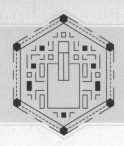

# FECHADURAS DE ENTRADA ALTERNATIVA

## SEGURANÇA MÁXIMA

Com apenas seis alavancas na parede, é possível que os visitantes indesejados consigam adivinhar a combinação certa. Se quiseres impedir que isso aconteça, podes construir uma parede maior com muitas mais alavancas. Podes usar escadarias de redstone para lançar um sinal de redstone para baixo a partir dos níveis superiores. Desde que continues a ter três sinais de algum lado, o circuito deve funcionar.

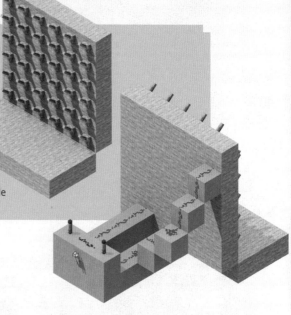

## O FIM?

Lançar uma vagoneta de um penhasco com um intruso no interior tem uma certa justiça poética, mas se quiseres mesmo dificultar as coisas, podes sempre construir um portal do Fim no final da queda. Assim vais lançar os intrusos para outra dimensão e, se eles regressarem pelo portal, ainda terão de voltar a subir o penhasco e tentar novamente.

Mais uma construção, mais uma forma de brincares com os invasores que estão a tentar deitar as mãos aos teus tesouros... mas a diversão não fica por aqui. Espreita estas modificações à fechadura de entrada de ferrovia para tornares as tuas construções mais seguras, mais emocionantes ou ainda mais perigosas... para os intrusos!

## MONTANHA-RUSSA

Também podes prolongar um pouco mais a tua linha armadilhada. Usa combinações de carris detetores e carris com propulsão para levares os teus intrusos numa viagem de alta velocidade para longe da tua base sem os fazeres voar de um penhasco. Mas certifica-te que o destino final é longe o suficiente para que eles só voltem a bater-te à porta passados alguns dias...

*Quantas mais curvas e rampas adicionares, mais provável é que consigas confundir os invasores.*

## SEM CARRIL

É provável que alguns invasores caminhem pela linha ao invés de saltarem para uma vagoneta (que desmancha-prazeres...), por isso, se quiseres uma fechadura sólida na tua base, podes simplesmente ligar a fechadura de combinação a uma porta de ferro ou a um mecanismo de pistões. Não é tão divertido nem teatral, mas também é menos falível.

## DICA

Garante que adicionas bastantes descidas íngremes ou carris com propulsão às rotas mais longas, para as tuas vagonetas chegarem ao destino.

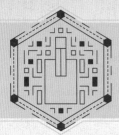

# ATRIL
# SELETOR

BLOCOS PRINCIPAIS

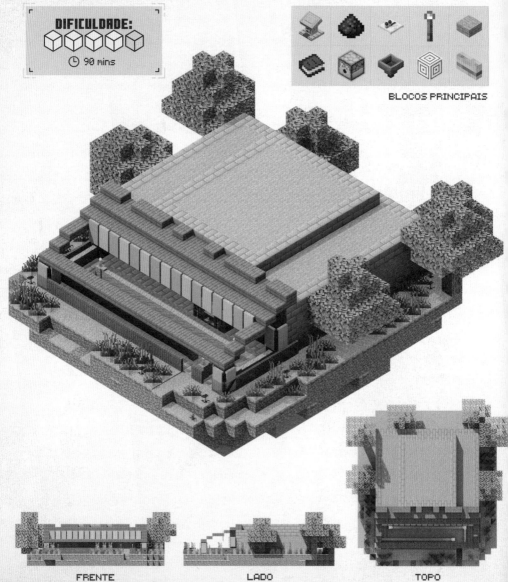

FRENTE          LADO          TOPO

Pode ser uma chatice teres de vasculhar os teus vários blocos de armazenamento na esperança de encontrares um objeto que precisas. O atril seletor permite-te escolher objetos específicos a partir de um livro, que surgirá aos teus pés ao pressionares um botão. Vamos ver como construir isto.

**1** Coloca um atril num espaço livre e depois deposita um livro em cima dele. O número da página do livro corresponde à potência do sinal que produz.

**2** Coloca dois blocos sólidos por trás do atril com um comparador no segundo bloco. Por trás do comparador, adiciona um bloco sólido com pó de redstone por cima. Mais atrás, cria uma linha de 15 blocos sólidos com pó de redstone numa formação em ferradura.

**3** Ao lado dessa linha de pó de redstone, acrescenta fileiras de blocos de alvo com repetidores no topo de todos eles, exceto o primeiro. Os repetidores devem ficar opostos ao pó de redstone e definidos para um único tick.

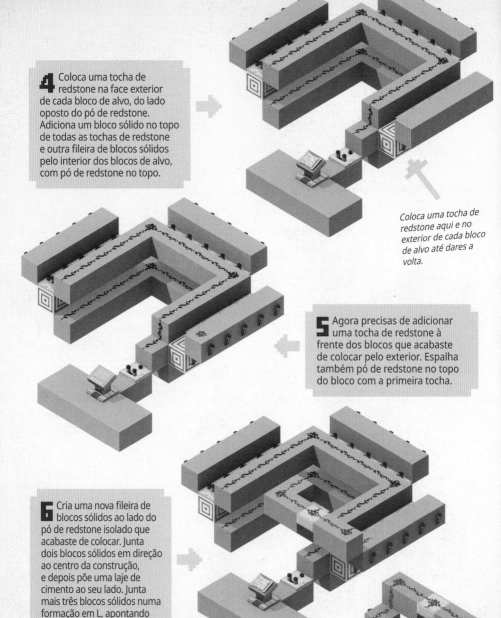

**4** Coloca uma tocha de redstone na face exterior de cada bloco de alvo, do lado oposto do pó de redstone. Adiciona um bloco sólido no topo de todas as tochas de redstone e outra fileira de blocos sólidos pelo interior dos blocos de alvo, com pó de redstone no topo.

*Coloca uma tocha de redstone aqui e no exterior de cada bloco de alvo até dares a volta.*

**5** Agora precisas de adicionar uma tocha de redstone à frente dos blocos que acabaste de colocar pelo exterior. Espalha também pó de redstone no topo do bloco com a primeira tocha.

**6** Cria uma nova fileira de blocos sólidos ao lado do pó de redstone isolado que acabaste de colocar. Junta dois blocos sólidos em direção ao centro da construção, e depois põe uma laje de cimento ao seu lado. Junta mais três blocos sólidos numa formação em L, apontando para o centro da construção. Espalha pó de redstone pelo topo desta nova fileira.

```
PERSPETIVA
DETALHADA
INVERTIDA
```

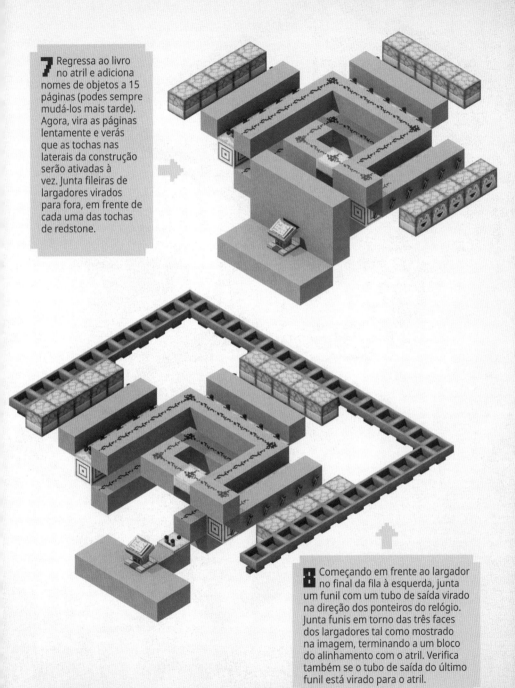

**7** Regressa ao livro no atril e adiciona nomes de objetos a 15 páginas (podes sempre mudá-los mais tarde). Agora, vira as páginas lentamente e verás que as tochas nas laterais da construção serão ativadas à vez. Junta fileiras de largadores virados para fora, em frente de cada uma das tochas de redstone.

**8** Começando em frente ao largador no final da fila à esquerda, junta um funil com um tubo de saída virado na direção dos ponteiros do relógio. Junta funis em torno das três faces dos largadores tal como mostrado na imagem, terminando a um bloco do alinhamento com o atril. Verifica também se o tubo de saída do último funil está virado para o atril.

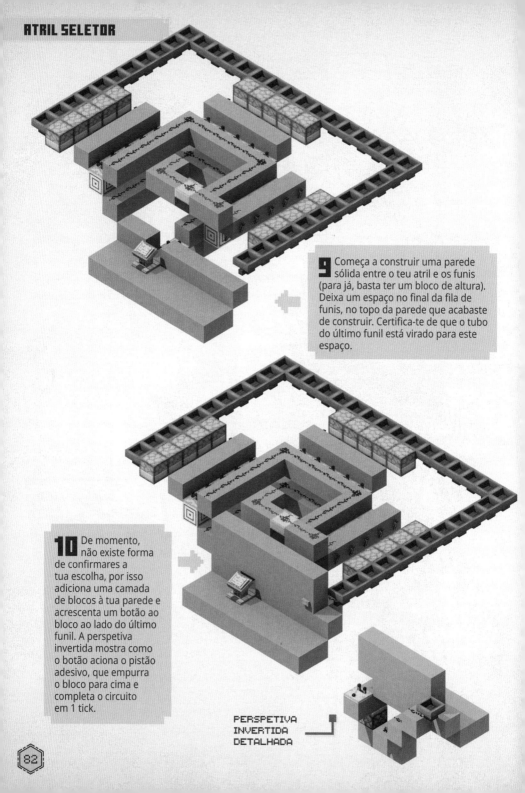

**9** Começa a construir uma parede sólida entre o teu atril e os funis (para já, basta ter um bloco de altura). Deixa um espaço no final da fila de funis, no topo da parede que acabaste de construir. Certifica-te de que o tubo do último funil está virado para este espaço.

**10** De momento, não existe forma de confirmares a tua escolha, por isso adiciona uma camada de blocos à tua parede e acrescenta um botão ao bloco ao lado do último funil. A perspetiva invertida mostra como o botão aciona o pistão adesivo, que empurra o bloco para cima e completa o circuito em 1 tick.

PERSPETIVA INVERTIDA DETALHADA

**11** Disfarça os blocos em torno do espaço ao construir uma parede de pedra detalhada. Dará a ideia de que o espaço é só um simples buraco na parede.

**12** Agora enche todos os largadores com os objetos que queres fornecer, e que devem corresponder aos nomes dos objetos que tens no livro. Por exemplo, se tiveres «flechas» na página 1, deves adicionar flechas ao largador mais próximo do botão.

**13** Está na hora de construir um edifício em torno do teu mecanismo. Podes transformá-lo numa loja com itens emoldurados a servirem de decoração ou simplesmente deixá-lo exposto na tua base. Experimenta-o ao virares o livro até chegares ao objeto que desejas. Depois, pressiona o botão ao lado do atril para colocar o mecanismo em movimento. Após alguns segundos, o objeto selecionado surgirá ao teu lado.

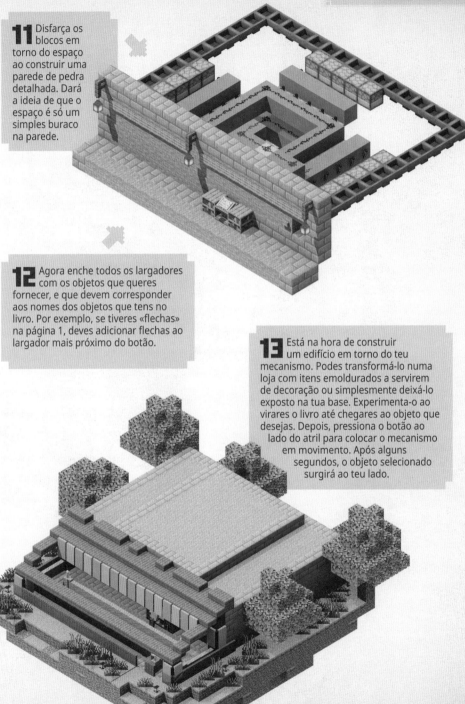

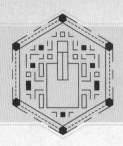

# SELETORES ALTERNATIVOS

## SELETOR MAIS PEQUENO

Perfeito se gostares da ideia de um atril seletor, mas se não tiveres tempo para uma grande construção ou se quiseres encaixar um sistema seletor numa base já existente. Dando uso às mesmas mecânicas, podes criar um mecanismo mais pequeno que funciona de forma idêntica. Segue os passos do nosso atril seletor, mas usa só uma linha reta de largadores e funis.

**PERSPETIVA INVERTIDA**

## SELETOR DE MOLDURA

Se precisares de uma solução de armazenamento mais leve, podes trocar o atril por uma moldura de objeto com uma flecha no interior. Os objetos nas molduras podem ser rodados oito vezes, o que te permite escolher oito objetos em vez de 15. É um serviço mais visual para quem não quiser folhear um livro e também só ocupa metade do espaço!

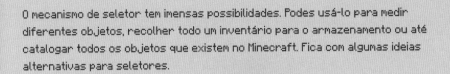

O mecanismo de seletor tem imensas possibilidades. Podes usá-lo para medir diferentes objetos, recolher todo um inventário para o armazenamento ou até catalogar todos os objetos que existem no Minecraft. Fica com algumas ideias alternativas para seletores.

## PRODUÇÃO EM SÉRIE

Ao trocar o botão que liga o largador de itens por uma alavanca e adicionando um circuito de relógio a seguir ao atril, podes fazer com que o gatilho do circuito distribua vários exemplares do mesmo objeto. Não existe uma forma simples de escolher um número exato, mas isto é ótimo se quiseres encher o teu inventário de flechas, blocos decorativos ou comida.

PERSPETIVA DETALHADA

## BIBLIOTECA DE OBJETOS

Para os jogadores mais organizados, também é possível criar uma biblioteca de objetos. Isto é basicamente a mesma construção repetida várias vezes, com um distribuidor para cada bloco do jogo, para teres sempre TODOS os blocos à disposição. Adiciona uma tabuleta à frente de cada seletor para servir de referência (pontos bónus se ordenares os objetos por ordem alfabética) e escadas para subires e desceres os vários pisos.

## PORQUÊ ENSINAR A USAR REDSTONE?

«Fiz um guia básico chamado "Jig's Guide: Redstone Basics" porque adoro redstone. É algo que eleva as nossas interações com o mundo além da mineração, da sobrevivência e da construção e que permite resolver quebra-cabeças, criar soluções automatizadas e ser capaz de dar forma a mecanismos que nos permitem ter impacto no mundo à nossa volta sem precisarmos de usar uma picareta.»

## SENTIAS QUE FALTAVAM LIÇÕES SOBRE REDSTONE?

«Não penso necessariamente que seja um problema para as pessoas, mas acho que é intimidante começar. Existem muitos componentes diferentes e pode ser difícil saber por onde começar. Na maior parte das vezes, os jogadores têm facilidade em explorar e descobrir como ultrapassar diferentes desafios no Minecraft, mas com a redstone isso não acontece porque praticamente não existem instruções sobre como utilizá-la.»

## COMO SE COMPARA COM A FORMA COMO APRENDESTE?

«Quando comecei, existiam poucas fontes de informação além de um punhado de vídeos de YouTube. Gostava de ter tido algo assim, por isso espero que todos experimentem, ganhem alguma experiência e percebam que a redstone não é tão assustadora como parece, mas se estão a ler este livro é porque já sabem isso!»

Jigarbov, o nosso especialista em redstone convidado, não é apenas um mestre da engenharia. Ele também está decidido em partilhar os seus conhecimentos com toda a comunidade. Com a sua criação grátis do Marketplace, «Jig's Guide: Redstone Basics», ele está a ajudar muitos jogadores a começarem a usar a redstone de formas criativas.

## COMO É QUE VAIS ALÉM DAQUILO QUE O MINECRAFT ENSINA?

«Muitos jogadores usam fontes externas para ficarem a saber mais sobre várias mecânicas do Minecraft, incluindo este livro. Assim, ficam a saber todas as coisas maravilhosas que podem fazer no jogo, mas devido à natureza do próprio meio, há uma separação porque é apenas teórico. A redstone em particular é uma daquelas coisas difíceis de aprender sem metermos as mãos na "massa". A minha esperança com o Jig's Guide é que, através das lições introdutórias, possam começar a trabalhar ultrapassando aquele obstáculo de não saber por onde começar.»

## QUAL É O OBJETIVO FINAL?

«Quando os jogadores chegarem ao final das lições básicas do Jig's Guide, espero que percebam os fundamentos da redstone. Coisas como até onde a redstone pode transmitir energia, os elementos que podem ser usados para ativar o sinal e que tipo de coisas podem ser ativadas. Cada componente tem também uma sala dedicada e o guia é atualizado sempre que é adicionado um novo objeto de redstone, por isso podem aprender e interagir com eles de forma a sentirem-se incentivados a fazerem as suas próprias experiências.»

## O GUIA PODE TORNAR OS JOGADORES EM MESTRES DA REDSTONE?

«Não sei se alguém pode algum dia dizer que é um mestre da redstone! Até eu aprendo coisas novas todos os dias. Há algumas máquinas ligeiramente mais complicadas no mapa, que têm instruções para o seu funcionamento. O que eu espero é que os jogadores vejam o que é possível e que aprendam o suficiente para darem os primeiros passos e descobrirem todo o potencial da redstone além de simplesmente abrir uma porta.»

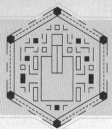

# PERFURADORA DE TÚNEIS

BLOCOS
PRINCIPAIS

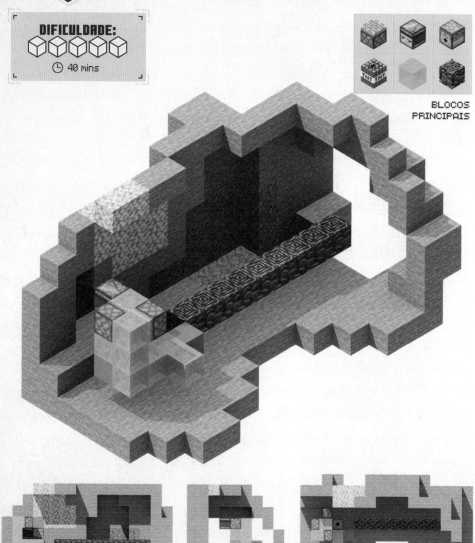

FRENTE          LADO          TOPO

Se quiseres simplificar o processo de mineração, então esta perfuradora de túneis é a construção perfeita para ti. Utiliza um distribuidor para armar e lançar TNT de um mecanismo de redstone que avança um pouco a cada explosão. Segue estes passos e em breve começarás a minerar sem problema.

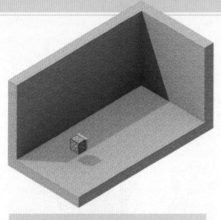

**1** Escava um espaço com sete blocos de largura, sete blocos de altura e 15 blocos de comprimento. Coloca um pistão virado na direção para onde queres que a tua perfuradora se mova a três blocos de distância de ambas as paredes e um bloco acima do solo.

**2** Coloca um observador por trás do pistão. A sua face de observação deve estar virada para o lado oposto ao pistão e a face de saída deve estar apontada ao pistão. Coloca outro observador no topo do primeiro virado na direção oposta.

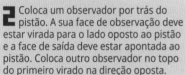

**3** Coloca um distribuidor no topo do pistão com a face de saída virada para cima. É aqui que colocarás o TNT. O distribuidor será empurrado e ativará o TNT, mas não o adiciones ainda ou poderás explodir com a tua engenhoca!

**4** Coloca um bloco de slime no topo do segundo observador e depois acrescenta outro observador a uma das faces laterais, virado de costas para o bloco de slime. Talvez necessites de usar alguns blocos temporários para colocá-lo virado na direção certa.

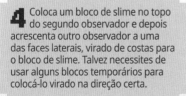

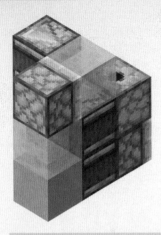

**5** Coloca um bloco sólido por trás do observador ao fundo do passo 3 e depois coloca-lhe em cima outro bloco de slime e um pistão virado para o primeiro bloco de slime. Este pistão empurrará o slime quando for ativado, afastando o TNT do mecanismo.

**6** Coloca um pistão adesivo à direita do bloco de slime no topo virado para a parte de trás do mecanismo e um bloco de slime em frente à sua face. Depois cria uma forma em L com blocos de slime para que o L termine mesmo ao lado do pistão adesivo ao fundo.

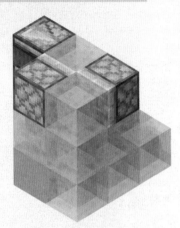

**7** Acrescenta um bloco sólido em frente ao último bloco de slime e um bloco de slime extra à direita desse slime.

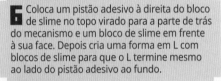

*Se fizeres a coluna de detritos ancestrais mais pequena, podes causar a destruição do teu mecanismo.*

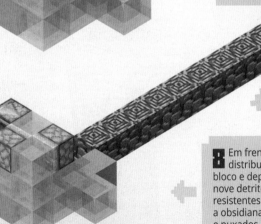

**8** Em frente ao pistão por baixo do distribuidor, deixa o espaço de um bloco e depois acrescenta uma linha de nove detritos ancestrais. Estes blocos são resistentes às explosões de TNT, tal como a obsidiana, mas podem ser empurrados e puxados pelo slime e pelos pistões.

**9** Escava o solo por baixo e em torno da perfuradora para te certificares de que não existem blocos ligados ao slime na construção. Se isso acontecer, o limite de força do pistão será ultrapassado e o mecanismo não funcionará.

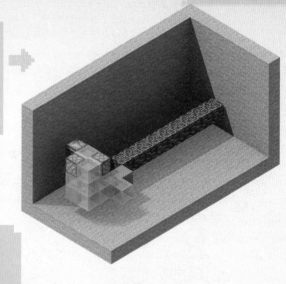

**10** Agora enche o distribuidor de TNT e coloca um botão ao lado. Quando o pressionares, o distribuidor libertará o TNT, que os observadores detetarão, e farão os pistões à volta deles alongarem-se. Isto lançará o TNT ao longo da linha de detritos ancestrais e empurrará o slime para a frente, arrastando tudo com ele.

**DICA**

O botão será destruído pelo movimento ao pressioná-lo, porque não está ligado ao slime nem a um pistão adesivo, mas podes apanhá-lo, voltar a pô-lo no sítio e pressioná-lo de novo para manter a perfuradora a trabalhar.

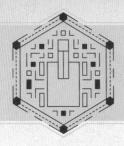

# MAIS MECANISMOS EM MOVIMENTO

## MINERADORA ESTÁTICA

A combinação de slime, pistões e observadores pode ser reduzida de modo que o mecanismo apenas dispare o TNT e não se mova de seguida. Ao invés de criares túneis horizontais, vais criar grandes abismos que podem levar até ao nível do leito de rocha. Como o aparelho não se mexe, o botão vai ficar sempre no seu lugar.

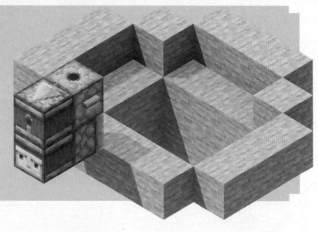

*Precisas de um relógio mais longo para te assegurares que o TNT tem oportunidade de detonar antes de lançares um novo bloco.*

## O PODER DA REPETIÇÃO

Se conseguires manter o botão no seu lugar, isso quer dizer que podes automatizar ainda mais o sistema. Substitui o botão na mineradora estática por um circuito de relógio com um atraso longo para lançar um bloco de TNT a cada dois ou três segundos, permitindo assim que o TNT chegue ao destino e rebente antes que outro bloco seja lançado. Mas talvez precises de reconstruir depois de chegares a 80 blocos de profundidade porque o TNT não descerá mais fundo!

Com a perfuradora de túneis já vimos que podes automatizar o processo de mineração, mas as possibilidades não ficam por aqui. Dando uso a métodos semelhantes, podes criar dispositivos de mineração estáticos como um lançador de TNT e outros veículos em movimento... como um foguetão!

## AVIÕES, COMBOIOS E... FOGUETÕES

O mecanismo em movimento da perfuradora é bastante complexo, mas prova que é possível criar máquinas em movimento.
Esta engenhoca simplificada usa os mesmos blocos (observadores, pistões e blocos de slime) para criar movimento automático, que pode ser uma boa base para experimentação e expansão. Até podes criá-la na vertical para fazer um foguetão!

OPÇÃO VERTICAL

## CRIADOR DE MATERIAIS

Se virares o distribuidor de forma a ficar virado para a frente em vez de para cima (também podes livrar-te do pistão que empurra o TNT), podes usar este mecanismo para outros fins. Enche o distribuidor com baldes de água e, conforme esta atravessar a lava, criará blocos de pedra arredondada, ou obsidiana se atingir blocos de fonte de lava. Se, em vez disso, derramares lava sobre a água, vais criar pedra. Existem muitas outras coisas que podes usar desta forma para adaptar o mecanismo às tuas necessidades.

*A lava também pode criar basalto quando está por cima do solo das almas e toca em gelo azul.*

# ADEUS

Sabias que «Redstone» era o nome dos foguetões que levaram os primeiros astronautas americanos ao espaço? Estas maravilhas da engenharia foram o resultado do mesmo tipo de mentalidade com que estiveste a ler e a jogar enquanto lias este livro.

Aprendeste como componentes simples podem juntar-se para produzir resultados complexos, e provavelmente também aprendeste a resolver problemas quando eles não funcionam como esperado!

Então, o que se segue? Podes ir ainda mais longe ao assistir a vídeos produzidos por outros engenheiros de redstone. Lembra-te de que todos, até os criadores de mapas de aventura e minijogos do Minecraft, começaram como tu!

E nunca subestimes o que podes aprender simplesmente pela tua própria iniciativa. Experimenta, estraga o que tiveres de estragar e volta a arranjar: projeto a projeto, em breve serás especialista em redstone.

**OBRIGADO POR JOGARES!**

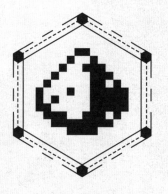